Girl's Drawing

사부작 사부작 소녀의 드로잉

—» Tutorial Book «—

YoungJin.com Y.
영진닷컴

사부작 사부작
소녀의 드로잉

ISBN 978-89-314-6607-2

독자님의 의견을 받습니다.
이 책을 구입한 독자님은 영진닷컴의 가장 중요한 비평가이자 조언가입니다. 저희 책의 장점과 문제점이 무엇인지, 어떤 책이 출판되기를 바라는지, 책을 더욱 알차게 꾸밀 수 있는 아이디어가 있으면 팩스나 이메일, 또는 우편으로 연락주시기 바랍니다. 의견을 주실 때에는 책 제목 및 독자님의 성함과 연락처(전화번호나 이메일)를 꼭 남겨 주시기 바랍니다. 독자님의 의견에 대해 바로 답변을 드리고, 또 독자님의 의견을 다음 책에 충분히 반영하도록 늘 노력하겠습니다.

이메일 I support@youngjin.com
주소 I (우)08507 서울특별시 금천구 가산디지털1로 128 STX-V타워 4층 401호 (주)영진닷컴 기획1팀
https://www.youngjin.com/

파본이나 잘못된 도서는 구입하신 곳에서 교환해 드립니다.

STAFF
저자 NARIM(나림) | **총괄** 김태경 | **진행** 최윤정 | **기획 • 편집 디자인** 임정원
영업 박준용, 임용수, 김도현 | **마케팅** 이승희, 김근주, 조민영, 김도연, 채승희, 김민지, 임해나, 이다은
제작 황장협 | **인쇄** SJ P&B

머리말

우리가 주변에서 보는 수많은 풍경이나 사물을 소재로 한 그림이 많은 이에게 사랑받고 있지만, 인물화도 찬찬히 관찰해 보면 정말 다양한 매력이 있음을 알 수 있습니다.
개인별로 품고 있는 인상부터 시작해 풍부한 이목구비의 조화로움을 발견할 수 있고, 인물에게서 풍기는 분위기까지 표현할 수 있습니다.
이런 다양성을 가진 인물 그림은 손으로 그리는 과정부터 완성까지 마치 한 명의 사람을 다듬고 만들어 나가면서 이야기를 입히는 듯해서, 뿌듯함을 안겨 주는 작업인 것 같습니다.

색연필로 인물을 채색하는 과정을 담은 이번 책은 인물의 다양한 감정을 기반으로 제작되었습니다. 우리가 일상에서 느끼는 감정을 크게 다섯 가지로 나눠 몽환적인 꿈, 기쁨과 슬픔, 알 수 없이 우울해진 순간들과 조용한 새벽 속 감성에 젖게 되는 감각들을 담았습니다.
챕터별로 자신만의 감정을 개성 있게 표현한 인물 일러스트는 각 감성에 어울리는 색으로 색칠할 수 있게 안내하고 있습니다.
기쁨과 즐거움에 어울리는 화려한 색감 표현은 인물을 생기발랄하게 만들고, 울적한 날에는 톤 다운된 무채색 계열로 인물의 감정을 전달하며, 몽환의 날은 다채로운 색으로 표현하는 등 다양하고 많은 색을 보유하고 있는 색연필의 장점을 살려 마음껏 표현해 볼 수 있습니다.

책의 순서와는 관계없이 그날의 내 기분과 감정을 일기를 쓰듯 색연필로 겹겹이 칠하다 보면 어느새 오늘의 내 기분과 맞닿아 있는 친구를 만나게 되지 않을까요?
저의 좋은 친구였던 그림들을 여러분께 소개하게 되어 떨리기도 하지만 설렘 가득한 마음으로 전달드립니다.

목차

재료의 종류와 특성 이해하기

인물의 이목구비 세부 표현 그리기

색연필을 이용한 인물의 이목구비 색칠하기

색연필을 이용한 소녀 컬러링

• 몽환의 날 •

• 새벽 감성 •

• 수줍은 미소 •

• 울적한 날 •

106

110

114

118

• 환희, 기쁨의 날 •

122

126

130

134

138

인쇄 상태 및 지질에 따라 색감의 표현이 다를 수 있습니다.
가이드와 똑같은 컬러로 칠하지 않아도 괜찮습니다.
원하는 색으로 다양한 감정의 소녀를 표현해 보세요.

소녀의 드로잉

PART 1

재료의 종류와 특성 이해하기

색연필(프리즈마 유성 색연필)

색연필은 기본적으로 수채 색연필, 유성 색연필로 구분됩니다. 유성 색연필은 수채 색연필보다 발색이 선명하고 진합니다. 심이 무르기 때문에 블렌딩의 표현이 수월하다는 장점이 있습니다.

지우개

색연필로 채색하는 과정 중 발생하는 실수를 지우개를 사용해 만회할 수 있습니다. 이때 색연필이 이미 진하게 칠해져 있다면 효과는 덜할 수 있으나, 가장 간단하고 쉽게 수정할 수 있는 방법입니다.

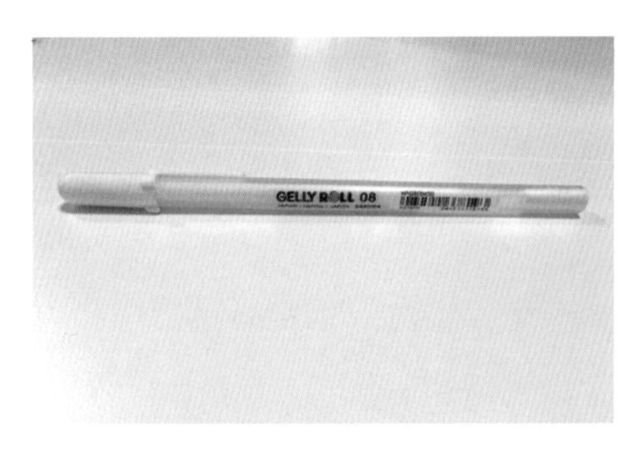

젤리롤 08펜(흰색)

펜 문구류인 젤리롤은 일반적으로 색연필과 함께 사용합니다. 색연필로 색칠한 그림 위에 하이라이트나 강조하고 싶은 부위를 펜으로 덧칠하면 흰색 색연필로 표현하기 어려운 선명함을 표현할 수 있습니다.

색연필깎이

색연필 전용 깎이는 일반적으로 색연필 심을 두 가지 타입으로 깎을 수 있습니다. 다만 유성 색연필은 심이 물러 부러지는 현상이 자주 일어날 수 있으니, 평소에는 칼을 이용해 깎고 묘사 부분이나 날카롭게 그려야 할 때 색연필 전용 깎이를 사용하면 색연필을 더 경제적으로 이용할 수 있습니다.

선 그리기

선은 점들이 모여 만들어집니다. 선은 드로잉뿐만 아니라 머리카락이나 눈의 홍채를 묘사할 때도 자주 사용합니다.

▶ 짧은 선

일정하고 곧게 뻗은 짧은 선

손에 힘을 주었다 살짝 뺀 짧고 날카로운 선

짧고 날카로운 선을 촘촘히 그렸을 때

▶ 긴 선

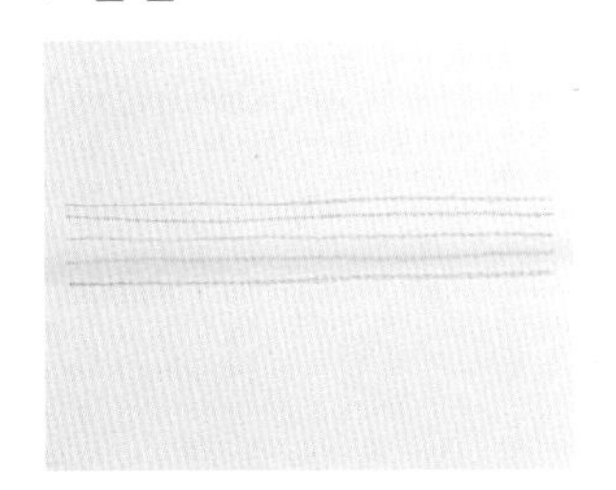

힘을 일정하게 주어 그린 긴 선

힘을 주었다 빼면서 그린 끝이 날카로운 긴 선

끝이 날카로운 긴 선을 촘촘히 그렸을 때

▶ 둥근 선

원을 그리듯 손목을 굴리며 그은 선

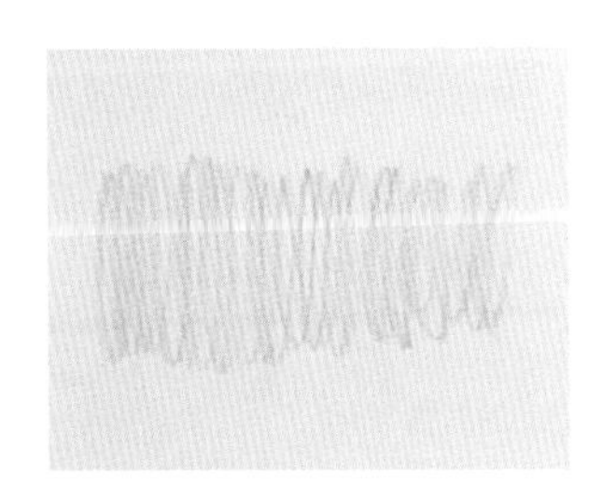

좀 더 길고 연하게 그은 둥근 선

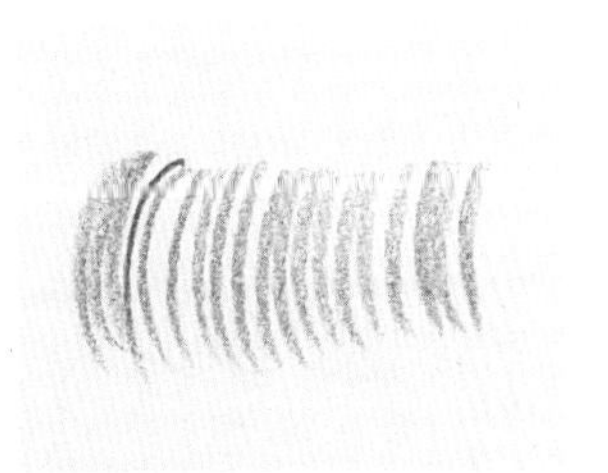

초승달 모양과 비슷하게 한쪽 방향으로 굴린 둥근 선

면 그리기

면은 선들이 모여 만들어집니다. 손의 힘 조절이나 색칠하는 선의 양에 따라 농담의 차이를 만들 수 있습니다.

▶ 진한 면

손에 힘을 일정하게 주어 가로, 세로 선을 촘촘히 그리듯 색칠합니다. 색연필을 눕혀서 칠하면 더 부드러운 면을 표현할 수 있습니다.

▶ 연한 면

손에 힘을 빼고 색연필을 살짝 눕혀 선을 그리듯 부드럽게 살살 칠합니다.

색상

빛을 흡수하고 반사하는 결과로, 사물의 명암을 포함한 붉은 계열, 노란 계열 등의 특징을 가집니다.

▶ 보색

정반대의 성격을 가지고 있는 색들을 보색 관계라고 칭합니다. 보색으로 채색할 경우 서로의 색이 두드러지고 또렷하게 부각되는 특징이 있습니다.

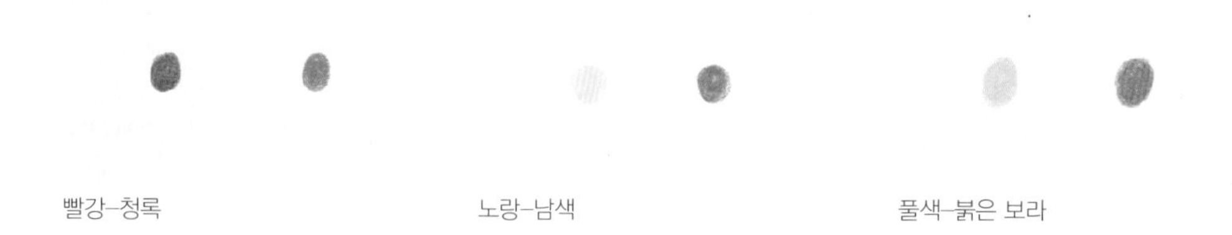

빨강–청록　　노랑–남색　　풀색–붉은 보라

▶ 계열색

유사하거나 비슷한 색을 의미합니다. 계열색으로 채색할 경우 단조롭고 조화로운 분위기를 표현할 수 있습니다.

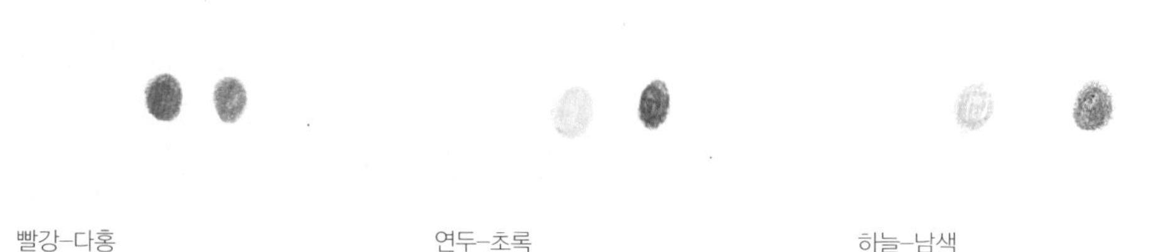

빨강–다홍　　연두–초록　　하늘–남색

그러데이션 표현하기

그러데이션의 사전적 의미는 밝은 부분에서 어두운 부분, 혹은 어두운 부분에서 밝은 부분의 농도 변화를 말합니다. 중간 톤이 고르게 퍼졌을 때 부드럽고 자연스러운 톤이 완성됩니다.

▶ 계열색 그러데이션

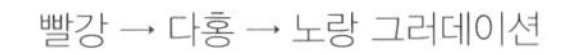

빨강 → 다홍 → 노랑 그러데이션

노랑 → 연두 → 초록 그러데이션

하늘 → 파랑 → 남색 그러데이션

▶ 보색 그러데이션

남색 → 파랑 → 하늘 → 주황 → 노랑

블렌딩 표현하기

블렌딩은 2가지 이상의 색상을 섞어 표현합니다. 일반 혼합과는 다르게 처음 칠한 색상에 영향을 주지 않고 자연스럽고 부드럽게 바꾸어 주는 게 포인트입니다. 블렌딩은 기본색과 흰색 색연필을 섞어 표현하기도 하지만 계열색을 섞어 표현하는 방법도 있습니다.

소녀의 드로잉

PART 2

인물의 이목구비 세부 표현 그리기

Lesson 01. 눈의 모양 연습하기

1. 정면 그리기

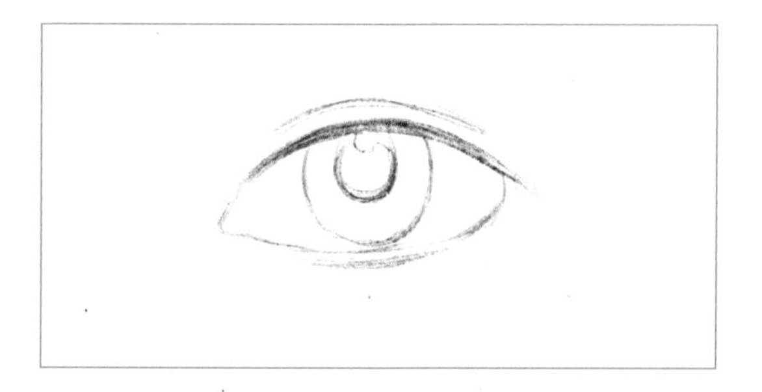

① 둥근 산을 그리는 느낌으로 눈의 위쪽 라인을 그리면서 언더라인은 비교적 덜 둥글게 그립니다. 눈을 정면으로 떴을 때 눈동자의 80% 정도만 보이게 눈동자 위쪽은 가립니다. 눈 안에 반짝거리는 하이라이트와 동공도 둥글게 그립니다.

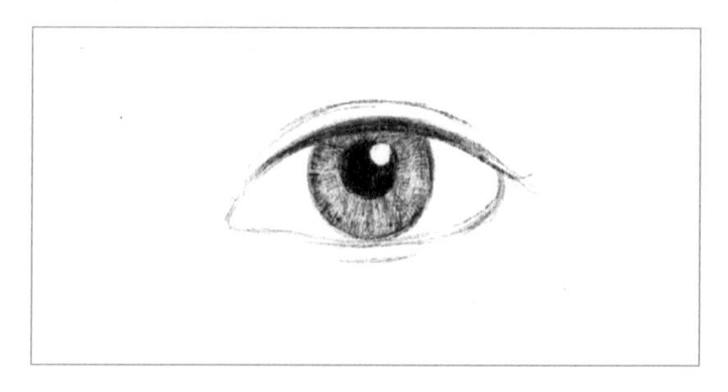

② 위쪽 아이라인은 연필에 힘을 주어 진하게 색칠하듯 그리고, 눈동자는 하이라이트 부분을 제외한 나머지를 부드럽게 칠합니다. 동공도 연필에 힘을 주어 진하고 선명하게 색칠합니다.

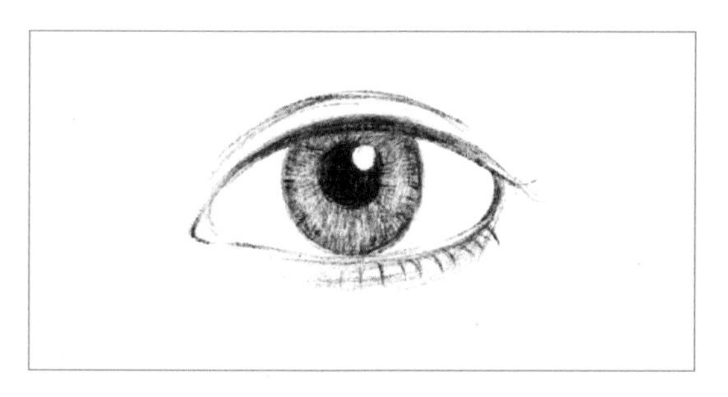

③ 동공을 기준으로 밖으로 퍼진다는 느낌으로 홍채의 선을 촘촘히 그려 눈동자를 묘사합니다. 아랫눈썹을 둥글게 굴려 가며 그립니다.

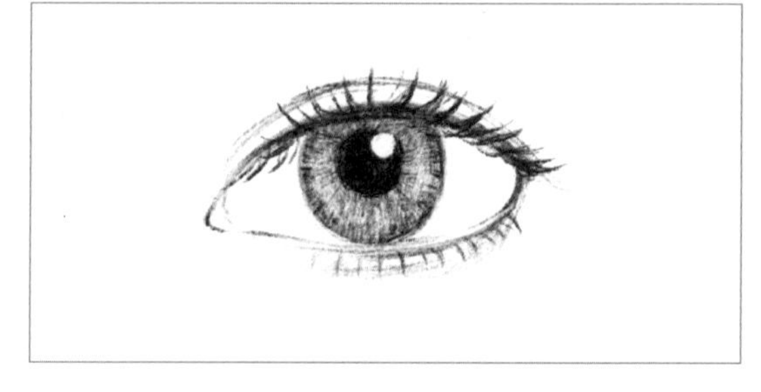

④ 윗눈썹도 살짝 둥글게 굴려 가며 튕기듯 그립니다.

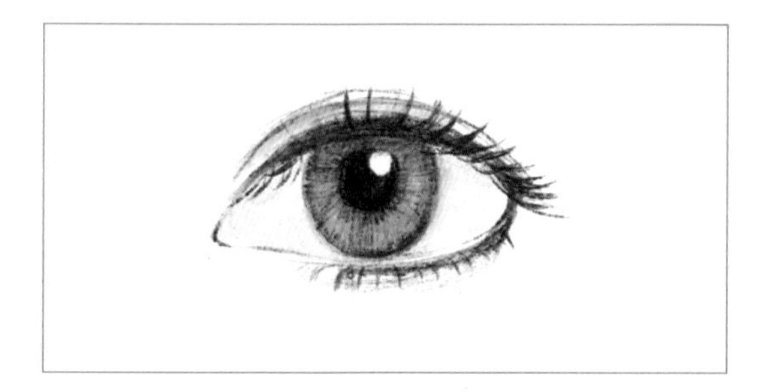

⑤ 손가락이나 작게 자른 휴지 등으로 홍채와 눈 주변을 살살 블렌딩하여 부드럽게 표현해 마무리합니다.

2. 측면 그리기

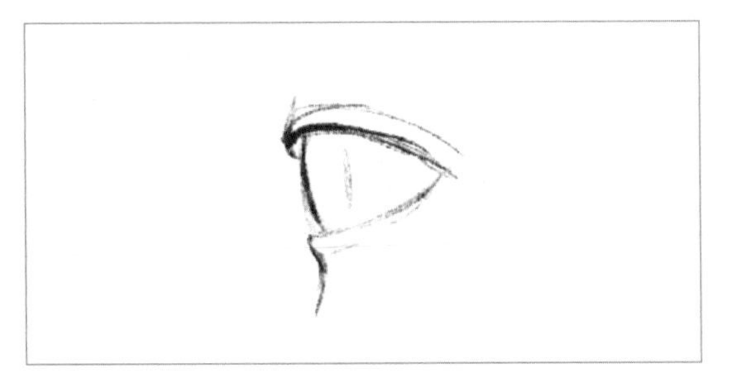

① 눈은 옆에서 관찰했을 때 동그란 곡선의 형태로 돌출되어 있습니다. 그 위아래로 감싸고 있는 피부를 그려 줍니다.

② 눈 주변에 솟아 있는 위아래 속눈썹을 서로 반대 방향으로 튕기듯 그립니다. 쌍꺼풀도 연하게 그립니다.

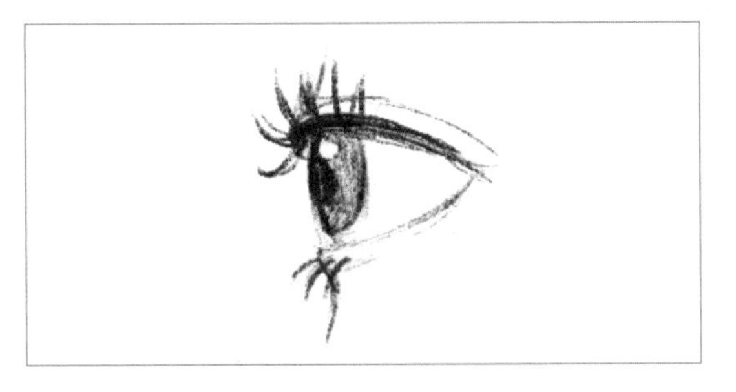

③ 눈동자의 하이라이트와 동공을 그리고, 강약을 조절해 명암으로 동공과 홍채를 구분해 줍니다.

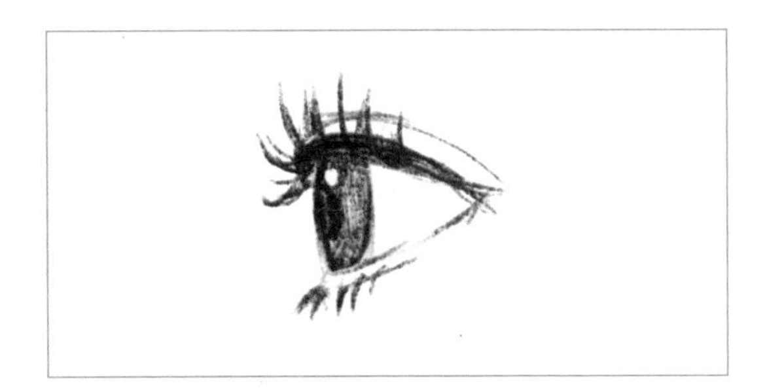

④ 눈동자 윗부분에 눈꺼풀로 생긴 어두운 그림자를 살짝 덧그려 명암을 표현해 마무리합니다.

3. 반측면 그리기

① 눈의 반측면은 정면과는 다르게 한쪽으로 치우쳐 쏠려 있는 것이 특징입니다. 오른쪽을 좁게, 왼쪽을 상대적으로 넓게 그립니다.

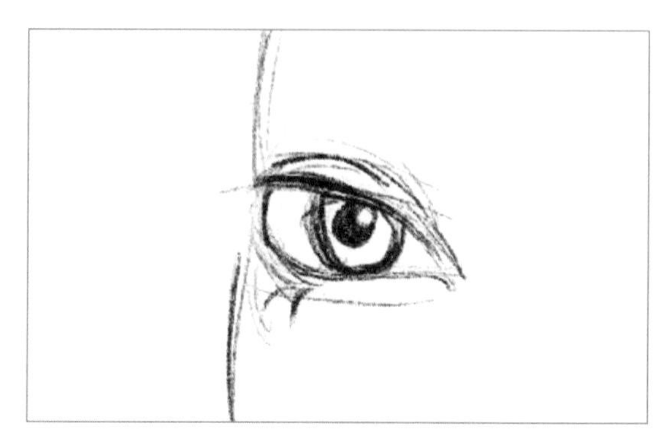

② 눈동자의 하이라이트 부분을 제외한 동공을 진하게 그립니다.

③ 한쪽 굴곡으로 흐르는 속눈썹을 위아래로 그립니다.

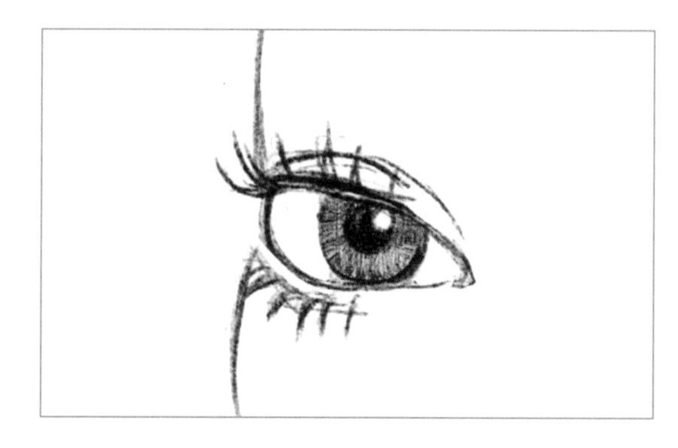

④ 동공을 중심으로 퍼져나가는 홍채의 결을 표현해 마무리합니다.

Lesson 02. 코의 모양 연습하기

1. 정면 그리기

① 모서리가 둥근 세모 모양의 콧구멍을 나란히 그리고, 양옆에 콧방울과 코에서 가장 높이 솟아 있는 코끝의 하이라이트를 연하게 그려 대략적인 형태를 잡아 줍니다.

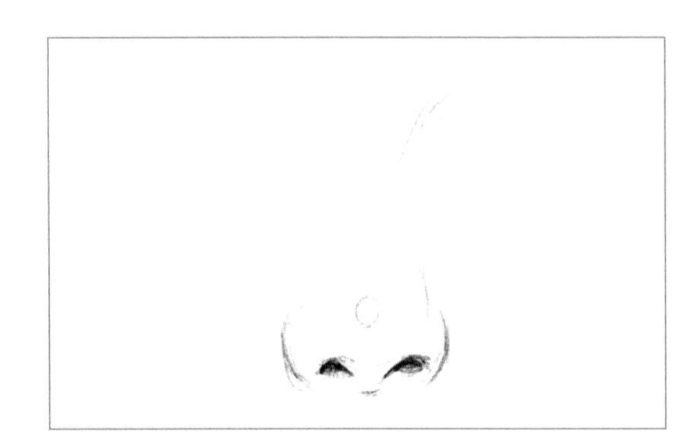

② 콧구멍 안을 어둡게 색칠합니다.

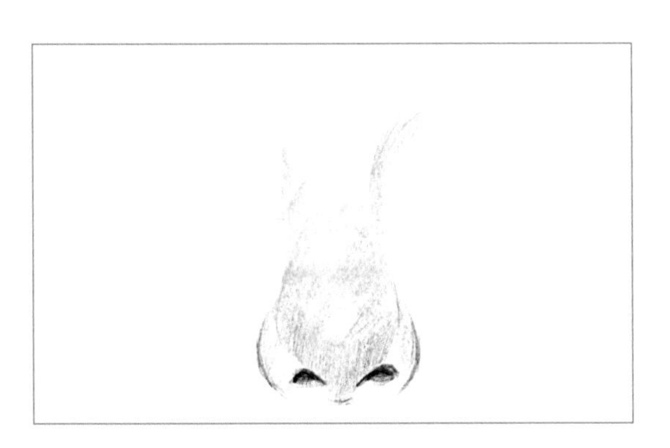

③ 코끝의 하이라이트를 제외한 코 전체를 연필을 눕혀 연하게 칠하여 코의 입체감을 살립니다.

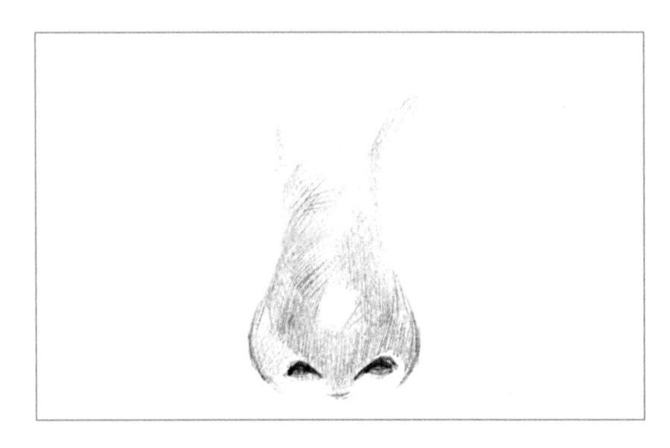

④ 코끝 주변의 입체감이 잘 표현되도록 명암을 살짝 넣습니다.

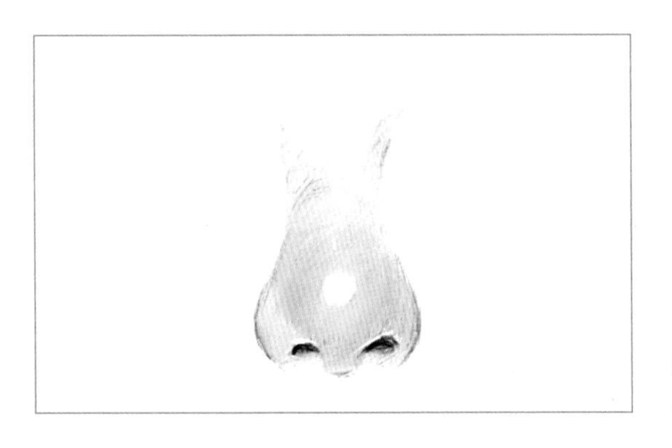

⑤ 하이라이트 부분을 제외한 전체적인 면을 살살 문질러 부드럽게 표현해 완성합니다.

2. 측면 그리기

① 비교적 아래쪽이 솟아오른 누운 삼각형 모양으로 코를 그립니다.

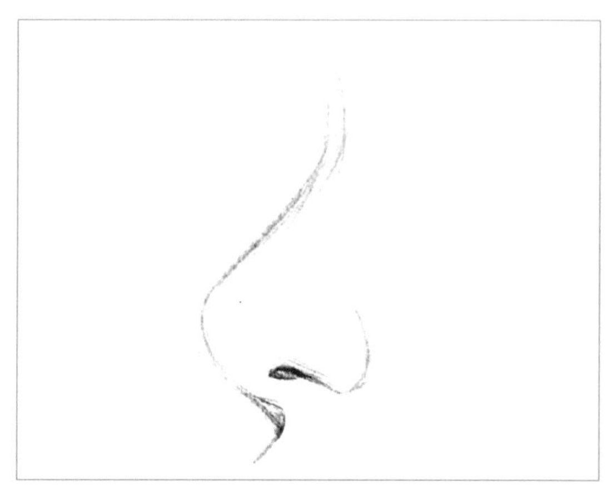

② 곡선의 형태를 유지하며 인중 라인이 자연스럽게 안쪽으로 들어가게 그리고, 콧구멍과 콧볼을 표현합니다.

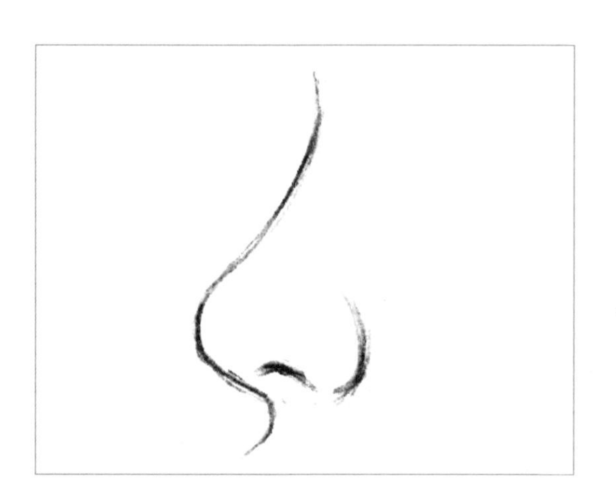

③ 콧구멍을 진하게 칠해 주며 전체적인 콧대 라인을 정리합니다.

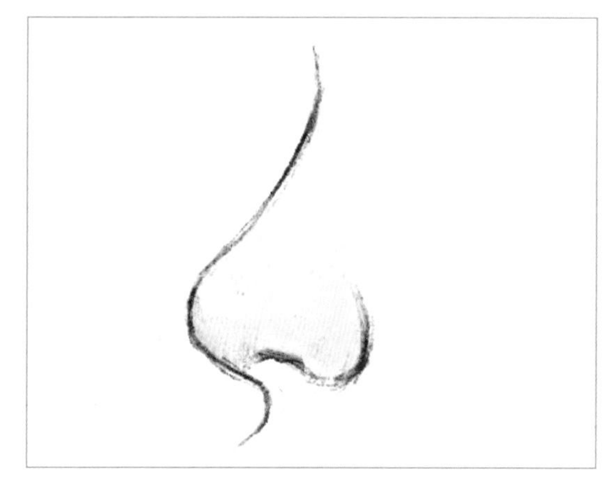

④ 콧볼의 하이라이트를 제외한 코 전체를 연필로 연하게 칠한 후 살살 문질러 부드럽게 표현합니다.

3. 반측면 그리기

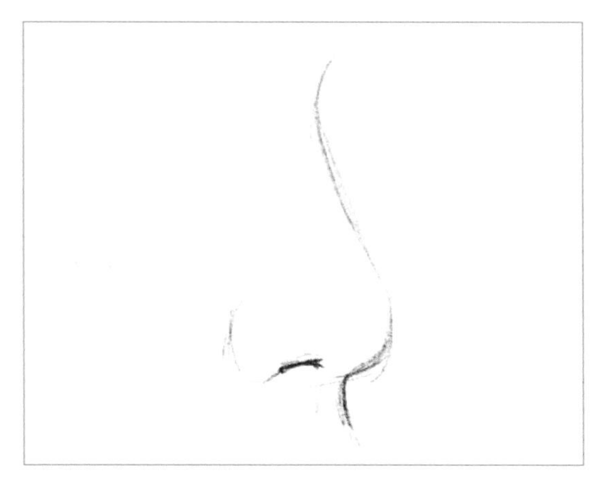

① 오른쪽으로 향해 있는 콧대와 인중을 자연스럽게 그립니다. 콧방울 옆에 간격을 띄우고 살짝 둥근 콧구멍과 콧볼을 함께 그립니다.

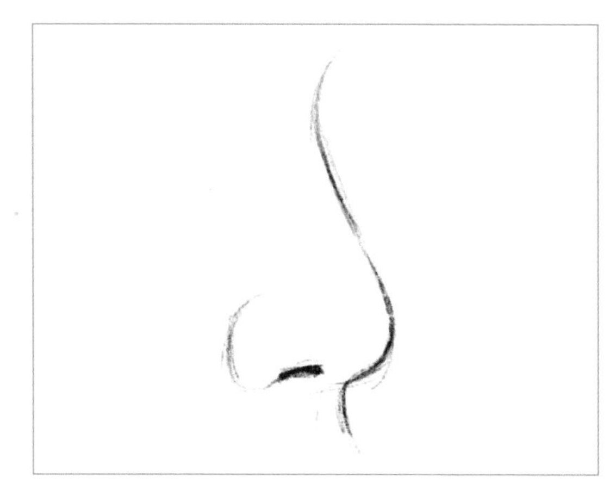

② 콧구멍 안쪽을 진하게 칠하며 전체적인 라인을 정리해 줍니다.

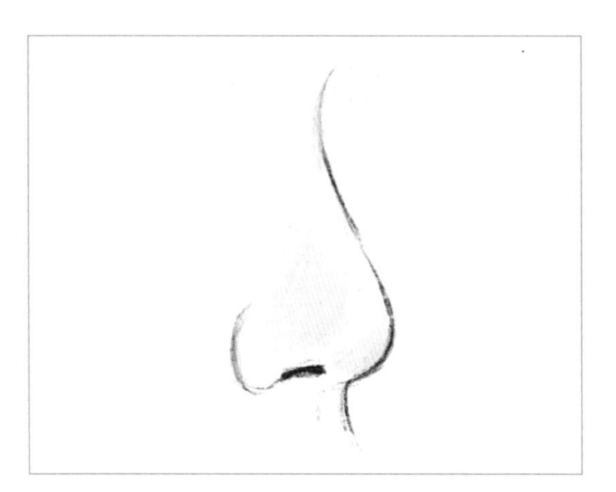

③ 코끝 하이라이트를 제외하고 전체적으로 연하게 칠합니다. 부드럽게 블렌딩하듯 코에 명암을 넣어 자연스럽게 표현합니다.

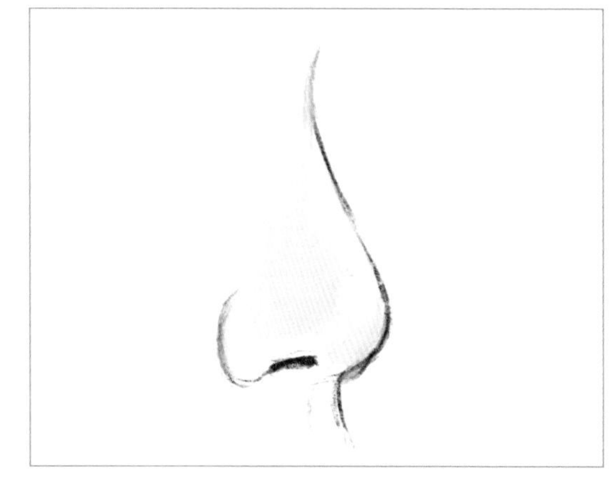

④ 반대편 콧날개를 보일 듯 말 듯 살짝 그리고 블렌딩하여 마무리합니다.

Lesson 03. 입술의 모양 연습하기

1. 정면 그리기

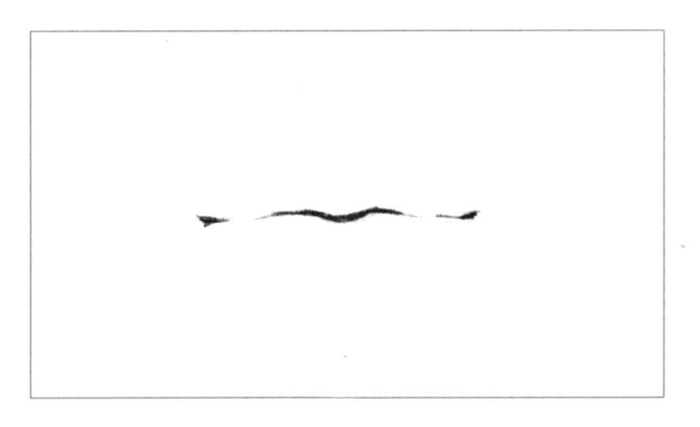

① 하늘을 나는 갈매기 모양을 연상하며 입술의 가운데 라인을 그립니다.

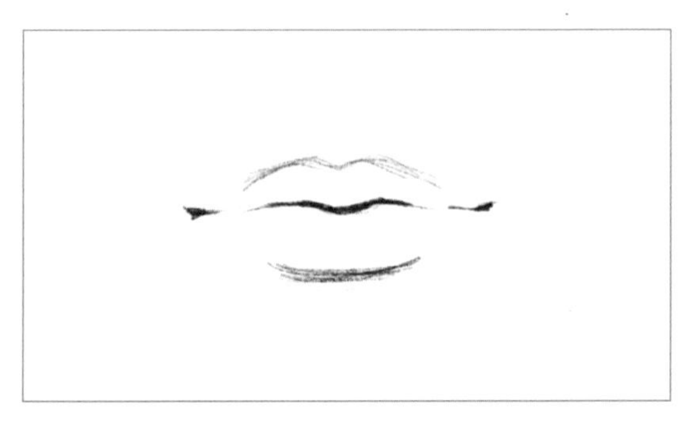

② 윗입술은 산 모양으로, 아랫입술은 곡선의 형태로 연하게 그립니다.

③ 최대한 연필을 눕혀 부드럽고 연한 선으로 윗입술과 아랫입술을 채운 뒤 하이라이트 부분은 지웁니다.

④ 윗입술과 아랫입술에 촘촘한 선을 쌓아 그리며 밀도를 만들어 줍니다.

⑤ 가장 밝은 하이라이트 부분을 지워 입술을 생기 있고 반짝이게 만듭니다.

2. 측면 그리기

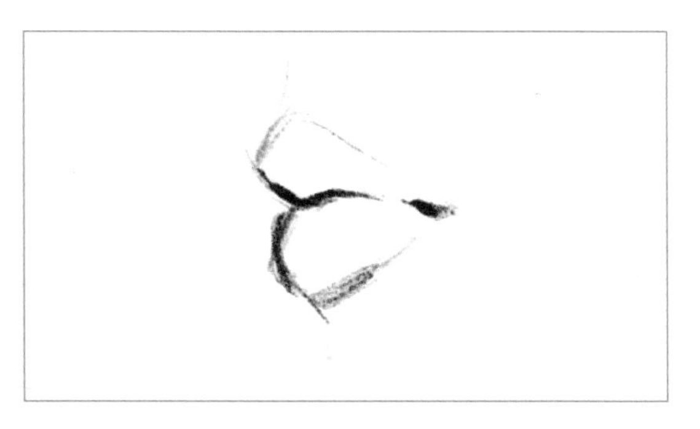

① 가운데의 입술 선을 짧게 그린 뒤, 이 선을 중심으로 볼록한 산 두 개를 그리듯 위아래 입술을 그려 전체적인 입술 형태를 만듭니다.

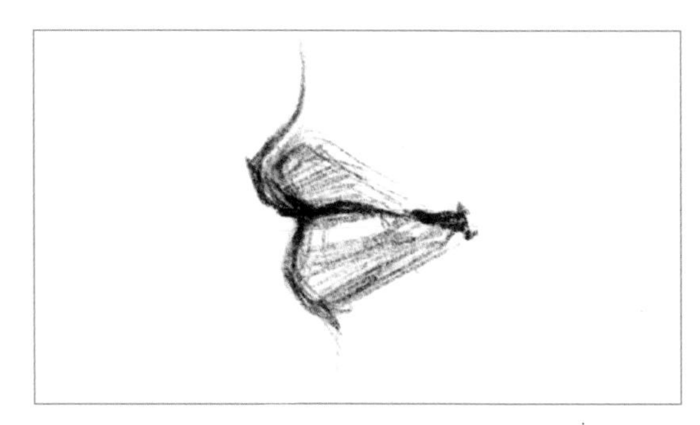

② 윗입술이 아랫입술보다 더 솟아 있는 느낌으로 형태를 잡은 뒤, 연필로 연하게 칠합니다.

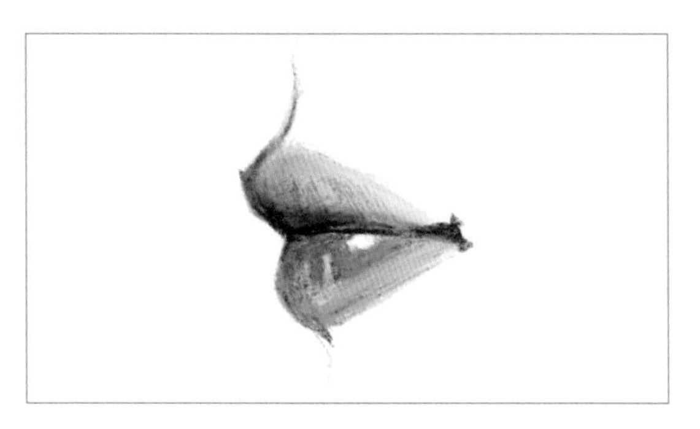

③ 연하게 칠한 부분을 블렌딩하여 부드럽게 풀고, 입술이 맞닿는 부분을 진하게 칠해 명암을 만듭니다.

④ 끝이 뾰족한 지우개로 입술의 반짝거리는 하이라이트 부분을 지우고 입술의 결을 그려 마무리합니다.

3. 반측면 그리기

① 정면 입술보다 한쪽이 치우친 느낌을 주기 위해, 가로가 짧은 형태의 입술을 그립니다. 지우개의 뾰족한 부분으로 반짝이는 하이라이트 부분을 입술 결을 따라 살살 지워 빛나게 표현합니다.

② 입술끼리 맞닿는 부분과 하이라이트를 제외한 부분을 연필로 부드럽게 칠하고 결을 그려 넣어 입술의 밀도를 높입니다.

③ 특히 아랫입술의 볼륨감을 살리기 위해 입술 결을 따라 선을 굴리듯 명암을 넣어 완성합니다.

Lesson 04. 두상의 모양 연습하기

1. 정면 그리기

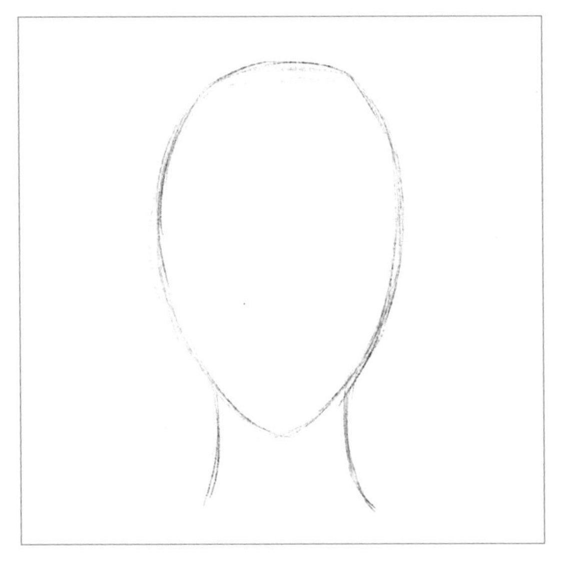

① 달걀이 거꾸로 있는 모양으로 얼굴의 기본 틀을 그립니다. 이어서 얼굴 아래쪽에 곡선으로 목을 연결해 그립니다.

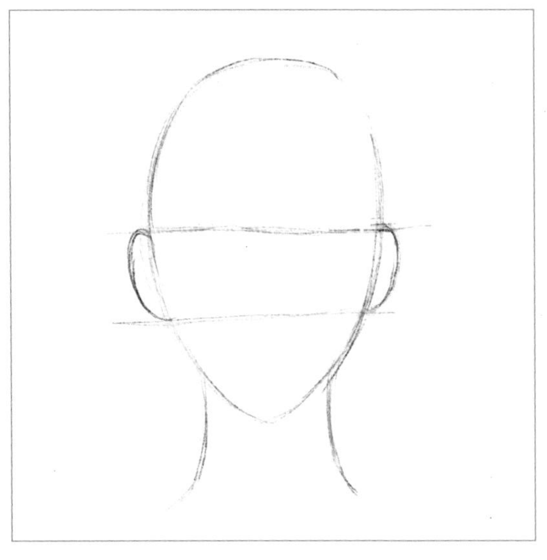

② 양옆에 귀를 그립니다. 이때 가로선을 그려 수평을 맞추고 크기를 비슷하게 그립니다.

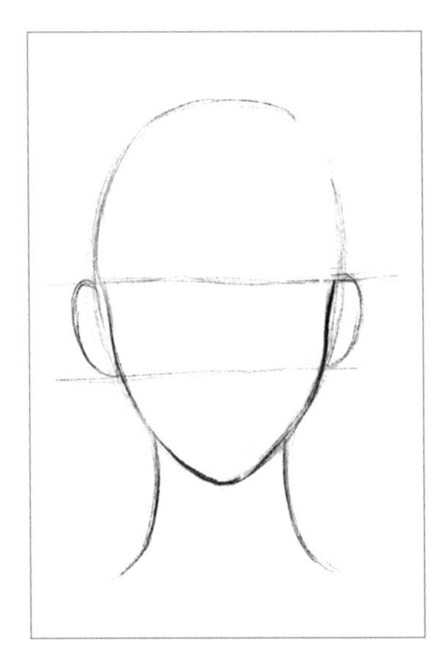

③ 귀를 그린 곳에 살짝 들어간 관자놀이를 그리고 얼굴의 라인을 다듬어 줍니다.

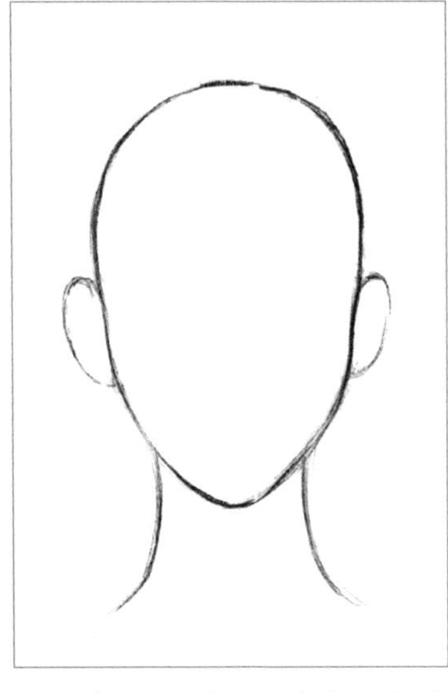

④ 두피를 둥글게 그려 라인을 다듬습니다.

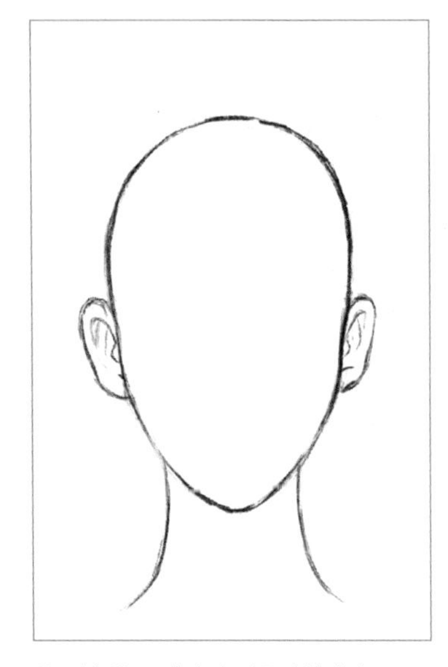

⑤ 귓속을 묘사하여 마무리합니다.

2. 측면 그리기

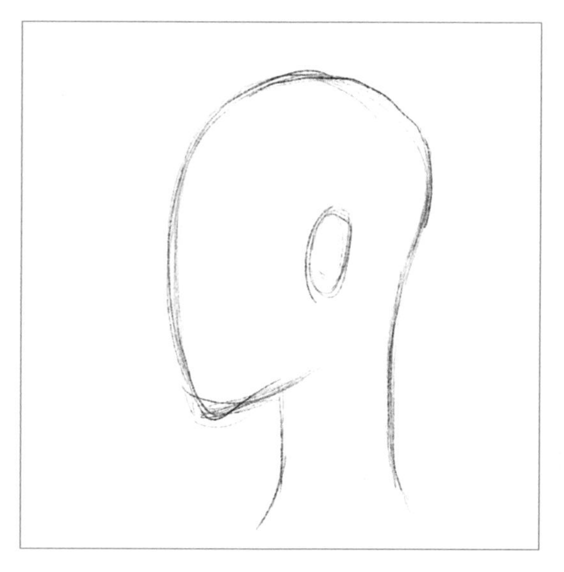

① 인물의 옆모습을 완만한 곡선으로 그리고 뒤통수와 턱, 목을 연결해 그립니다.

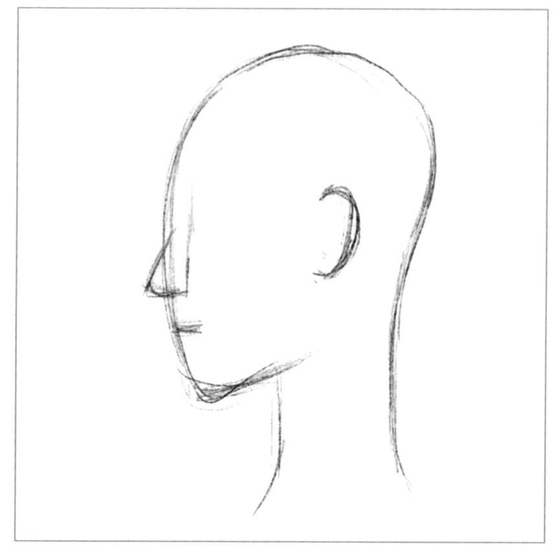

② 완만한 곡선의 중간 지점에 코의 옆모습을 형태만 연하게 그립니다. 귀는 뒤통수와 이마의 중간 지점에 위치를 잡습니다.

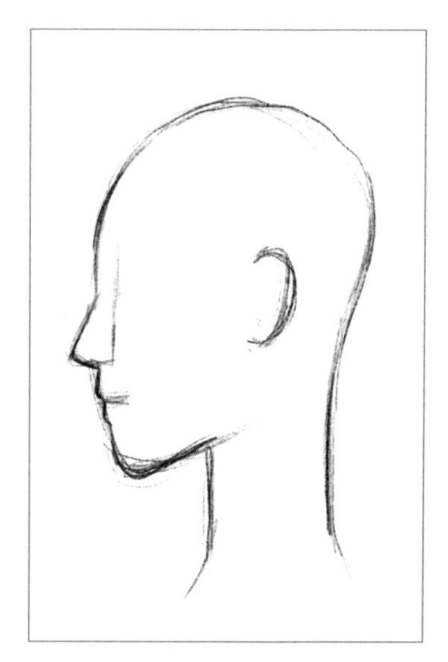

③ 전체적으로 완만한 곡선으로 부드럽게 다듬습니다.

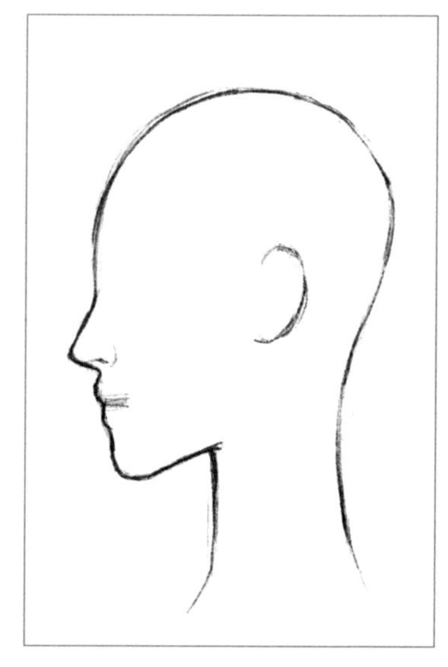

④ 잔선을 지워 정리합니다. 아랫입술은 윗입술보다 돌출되지 않게 그립니다.

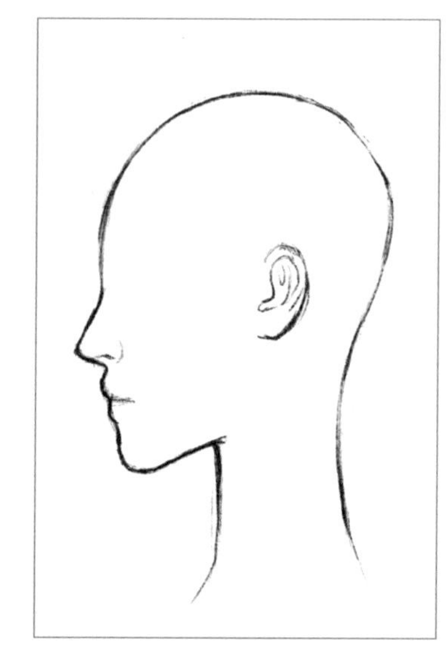

⑤ 콧구멍과 귓속을 묘사한 뒤 마무리합니다.

3. 반측면 그리기

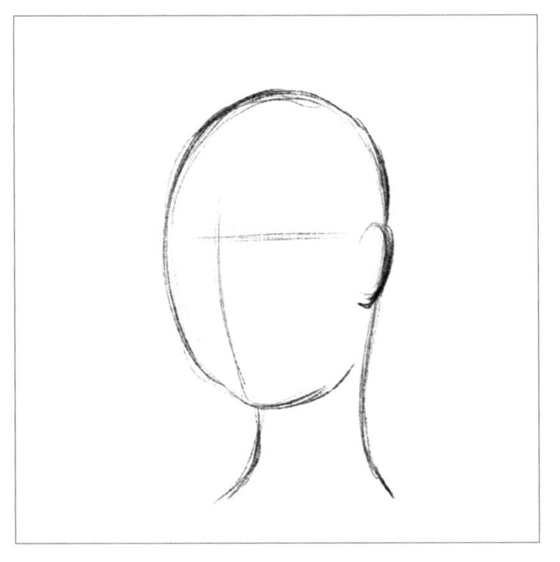

① 타원형을 그리고 오른쪽 귀는 오른쪽 끝 가운데에 형태를 그립니다. 이어 얼굴의 중심을 십자 형태의 가로, 세로선으로 표시합니다.

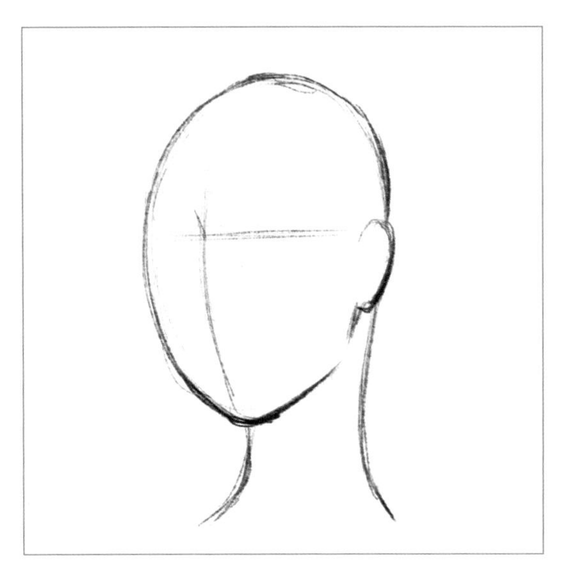

② 타원형의 얼굴에서 턱밑 라인을 뾰족하게 다듬어 줍니다.

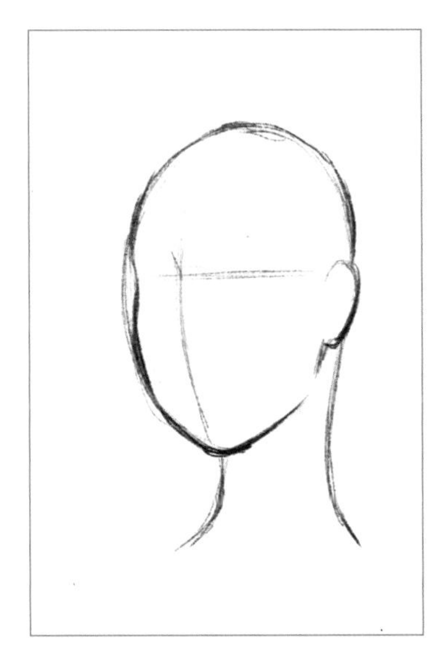

③ 왼쪽 관자놀이와 볼 부분을 다듬어 그립니다. 반측면의 볼은 이마와 볼륨감이 크게 차이가 나지 않게 그려 줍니다.

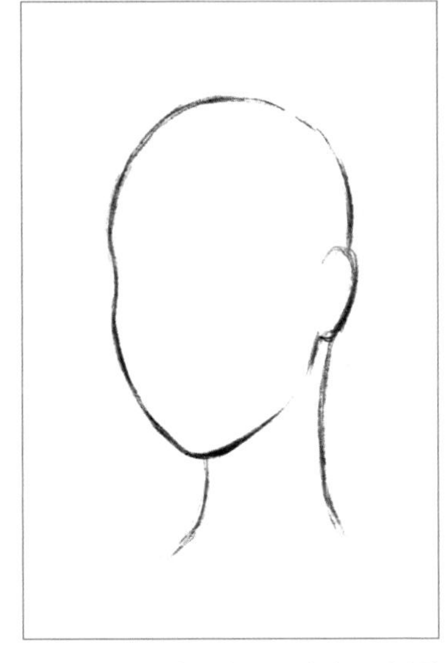

④ 지저분한 선을 지우고 라인을 정리합니다.

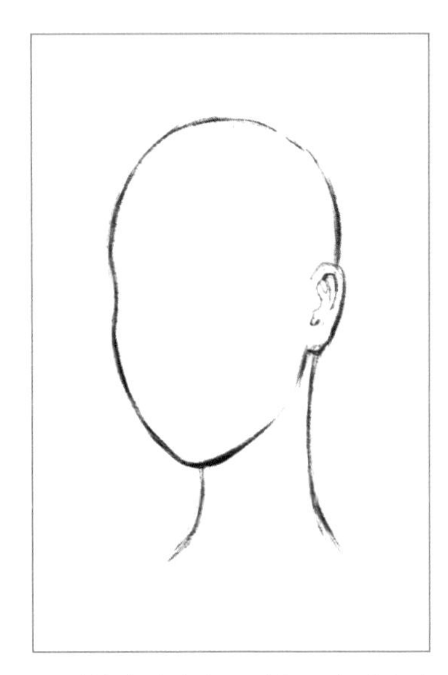

⑤ 반측면 귀의 속 모양을 그려 넣어 마무리합니다.

Lesson 05. 머리카락의 모양 연습하기

1. 정면 그리기

① 정면 얼굴 형태에 가발을 씌운다는 느낌으로 머리카락의 큰 덩어리를 그립니다.

② 머리카락에 가려지는 얼굴의 선들을 지웁니다.

③ 앞부분의 머리카락 덩어리에 잔선을 그려 구획을 나눕니다. 이때 아래로 향하는 머리카락 끝은 날카롭게 표현합니다.

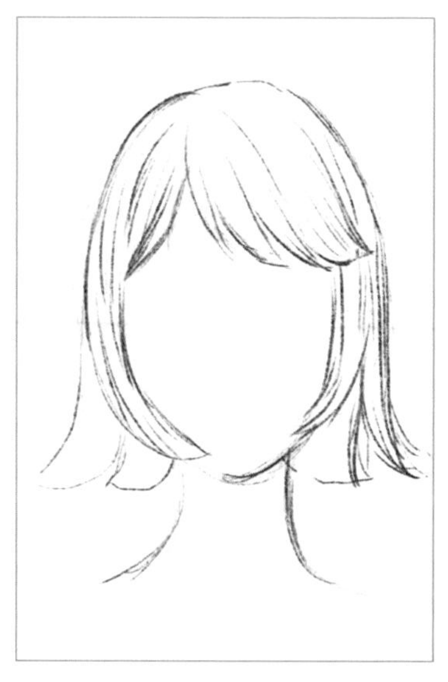

④ 같은 느낌으로 아래쪽 머리카락도 머리카락의 결 방향에 맞추어 세부 묘사를 합니다.

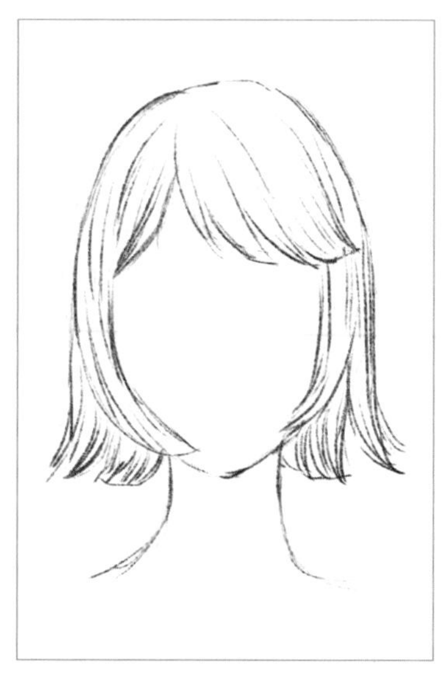

⑤ 전체적으로 머리카락의 결을 채워 넣어 완성합니다.

2. 측면 그리기

① 옆면 얼굴에 가발을 씌우듯 머리카락을 그려 넣습니다. 처음에는 머리카락의 큰 방향과 흐름만 표현합니다.

② 머리카락의 흐름대로 안에 잔선을 채운다는 느낌으로 앞머리를 그립니다.

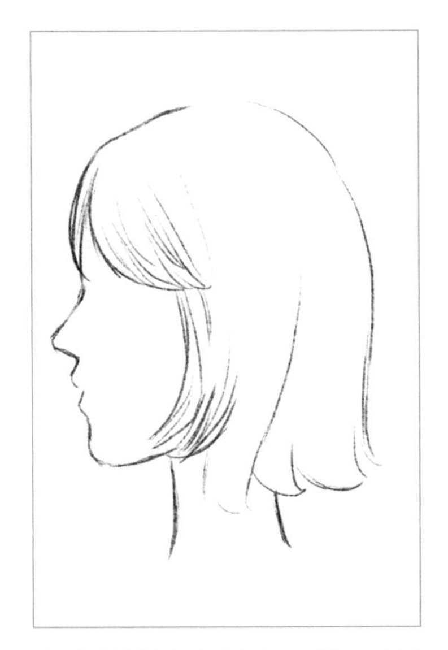

③ 이어 볼쪽의 머리카락도 선을 그려 넣습니다.

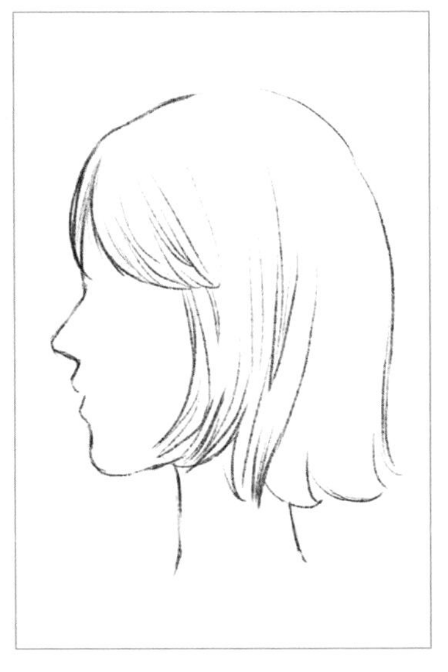

④ 옆면은 뒤통수가 보이므로, 뒤통수의 볼륨감이 사라지지 않도록 완만한 곡선으로 그려 줍니다.

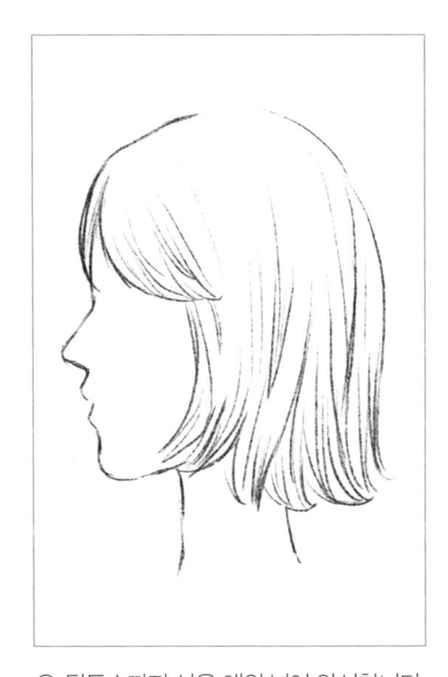

⑤ 뒤통수까지 선을 채워 넣어 완성합니다.

3. 반측면 그리기

① 반측면은 정면과는 다르게 한쪽 옆면의 머리카락이 더 많이 보이게 덩어리를 나눠 그립니다.

② 앞머리 부분을 선으로 잘게 쪼개 줍니다.

③ 머리카락의 흐름을 상상하면서 나머지 부분도 이어서 묘사합니다. 밑으로 향하는 머리카락의 끝은 항상 날카롭게 표현될 수 있도록 합니다.

④ 전체적으로 선을 그려 넣어 완성합니다.

소녀의 드로잉

PART 3

색연필을 이용한 인물의 이목구비 색칠하기

렌즈 착용 눈

: 자연스러운 데일리 렌즈 :

① Seashell Pink와 Deco Pink로 섀도를 바르듯 자연스럽게 칠한 뒤, Henna로 쌍꺼풀과 아이라인, 눈동자를 부드럽게 칠합니다. 이때, 동공과 하이라이트, 그림자로 어둡게 표현되는 부분은 남겨둡니다.

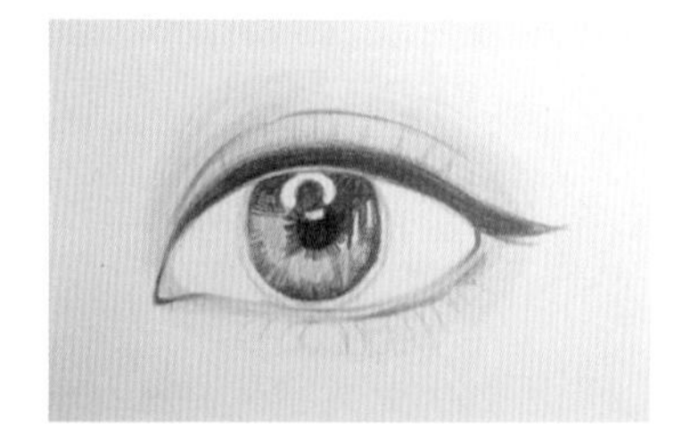

② Dark Umber로 아이라인을 덧칠합니다. 눈동자의 윗부분은 눈두덩이 그림자의 영향을 받으므로 같은 색으로 어둡게 칠하고, 짧은 선으로 홍채의 모양을 묘사합니다. 동공은 Black으로 표현합니다.

③ 어두운 갈색의 Burnt Ochre로 아이라인과 눈꺼풀을 블렌딩하듯 여러 번 겹겹이 칠해 부드럽게 풀어 줍니다. 주변의 화장 톤과 조화롭도록 눈동자와 눈동자의 아웃라인도 함께 칠합니다.

④ 눈동자와 아이라인 사이의 미세한 여백을 Nectar로 자연스럽게 블렌딩합니다. 눈 주변 역시 자연스럽게 블렌딩합니다.

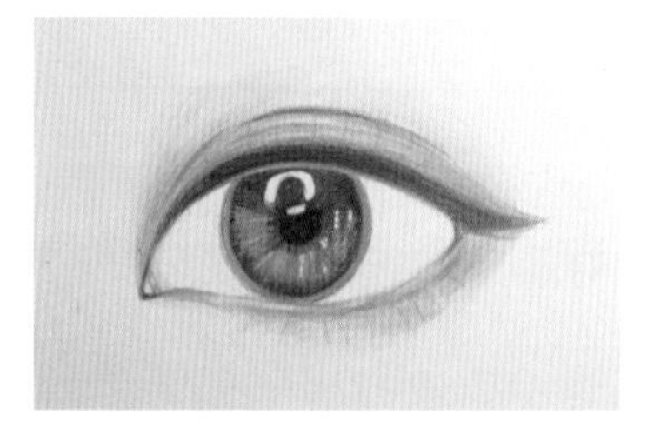

⑤ 어두운 갈색이나 검은색 계열을 섞어 홍채의 바깥 라인을 선명하게 그려 줍니다.

⑥ Dark Umber로 눈의 중간부터 튕기듯 짧은 선을 그려 속눈썹을 표현합니다. 속눈썹은 살짝 굴곡이 생기면서 끝이 뾰족해지도록 그립니다.

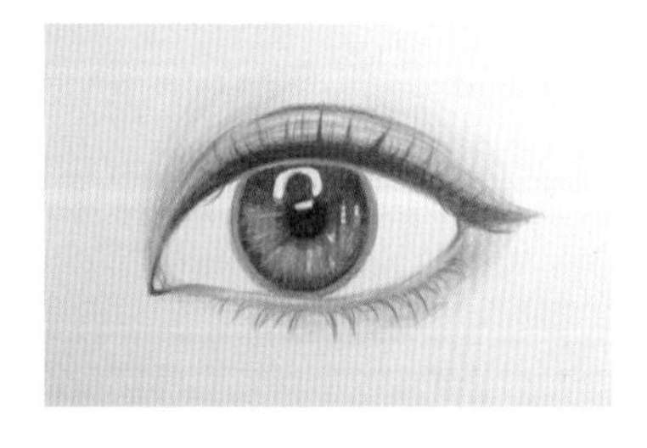

⑦ 앞쪽 속눈썹은 과정 6과 반대 방향으로 그립니다. 아랫눈썹은 Burnt Ochre로 자연스럽게 표현합니다.

⑧ 렌즈 색에 어울리는 Deco Peach를 위아래로 섀도를 바르듯 블렌딩하여 색감을 풍부하게 만듭니다. 어두움이 부족한 부분은 비슷한 계열의 어두운색을 덧칠해 눈매를 또렷하게 만듭니다.

: 또렷한 렌즈 :

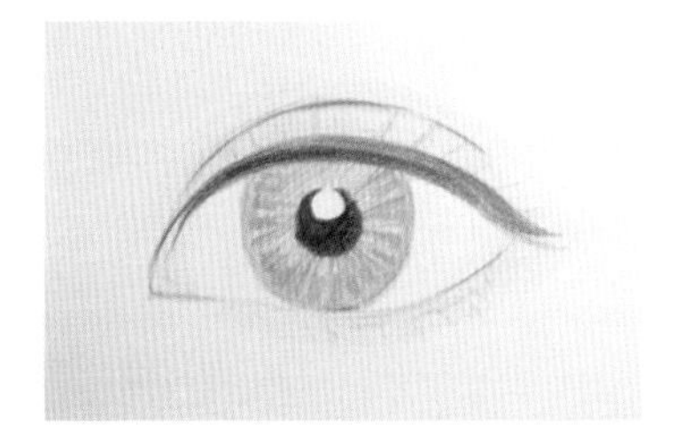

① 기초 섀도로 Deco Pink를 칠한 뒤, Dark Umber로 아이라인과 쌍꺼풀을 부드럽게 색칠합니다. 눈동자는 50% French Grey로 홍채 방향을 따라 칠하고 동공은 Black으로, 바깥 렌즈 라인은 Slate Grey로 칠합니다.

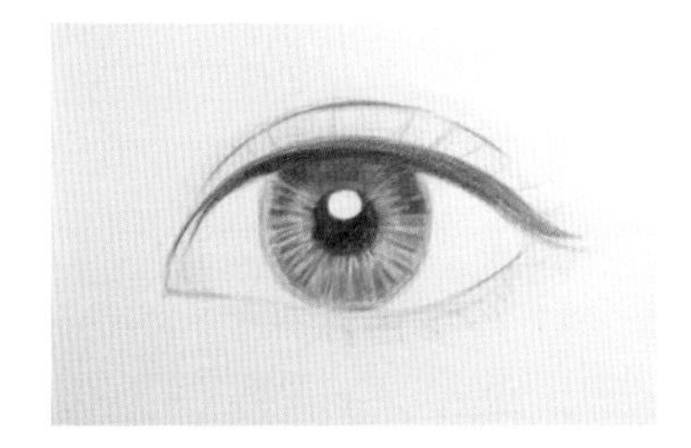

② 화려한 홍채 렌즈인 만큼 30% Cool Grey와 90% Cool Grey로 눈의 중심부로 향하는 짧은 선을 촘촘히 그립니다. 이때 진한 그레이 색상은 윗부분에만 칠해 주어야 자연스럽습니다.

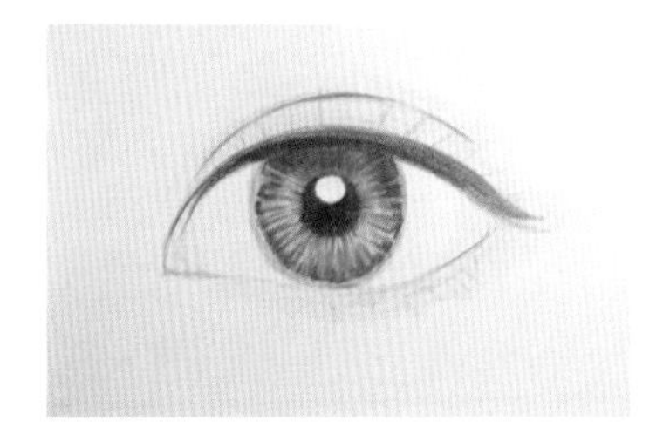

③ 촘촘히 홍채 라인을 그렸다면, 눈동자 테두리를 전체적으로 정리해 줍니다.

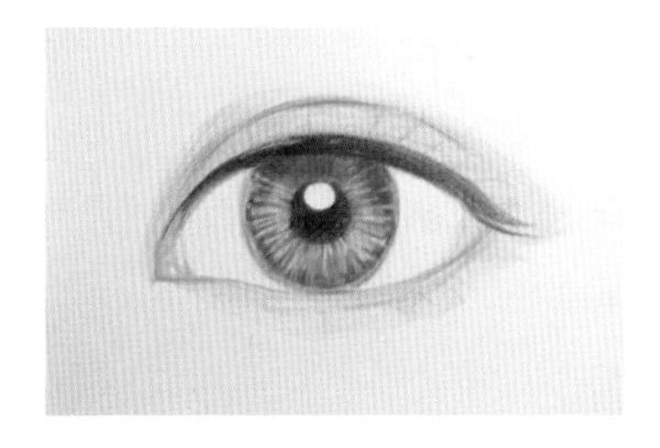

④ Black으로 아이라인을 칠하여 눈매를 깊이감 있게 표현하고, Blush Pink로 눈 주변을 블렌딩하듯 칠합니다.

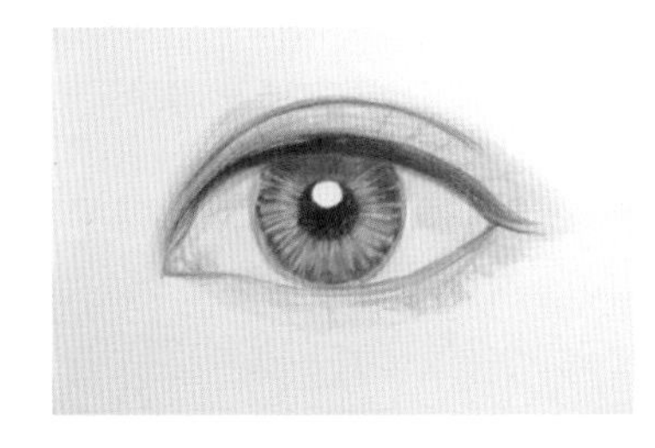

⑤ 흰자 바탕은 10% Cool Grey로, 흰자 윗부분의 그림자는 30% Cool Grey로 자연스럽게 채색합니다. 쌍꺼풀과 언더라인도 Pink로 덧칠해 정리합니다.

⑥ Chestnut으로 쌍꺼풀과 언더라인 주위에 선을 그리듯 촘촘히 색칠하여 주변 색과 어우러지게 연결합니다. 아랫부분의 잔 속눈썹도 그려 주면 더 자연스럽습니다.

⑦ Black으로 아래에서 위로 곡선을 튕기듯 그리며 속눈썹을 촘촘히 만듭니다. 눈꼬리쪽은 아래로 처진 속눈썹을 추가로 그려 넣습니다.

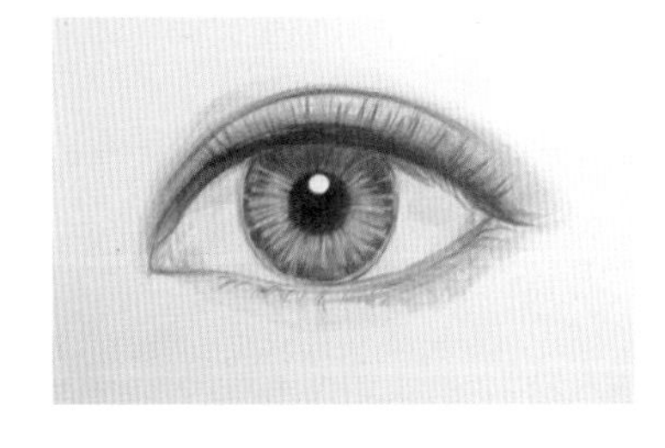

⑧ 7번 과정에 그린 아래로 처진 속눈썹을 눈동자 주변에도 그려 넣어 자연스러움을 더합니다. Nectar와 Chestnut으로 아래쪽 속눈썹도 그려 완성합니다.

: 화려한 렌즈 :

① Pink로 눈 주변을 전체적으로 칠한 뒤, Greyed Lavender로 자연스럽게 블렌딩하여 퍼져나가는 느낌을 연출합니다. 눈동자는 화려한 렌즈 무늬를 피해 Parma Violet과 Pink로 칠해 줍니다.

② Black Grape로 눈동자 안쪽의 가장 어두운 부분을 선명하게 칠하고 앞서 사용한 보라색 계열로 자연스럽게 블렌딩합니다.

③ Black Raspberry로 쌍꺼풀 라인과 위아래 아이라인을 전체적으로 조화롭게 채색합니다. Sky Blue Light로 흰자를 전체적으로 칠한 뒤, 속눈썹에 의해 생기는 그림자를 30% Warm Grey로 연하게 칠합니다.

④ 화려한 핑크톤 메이크업을 위해 눈 주변에 Pink와 Pink Rose를 번갈아 사용하여 채색합니다.

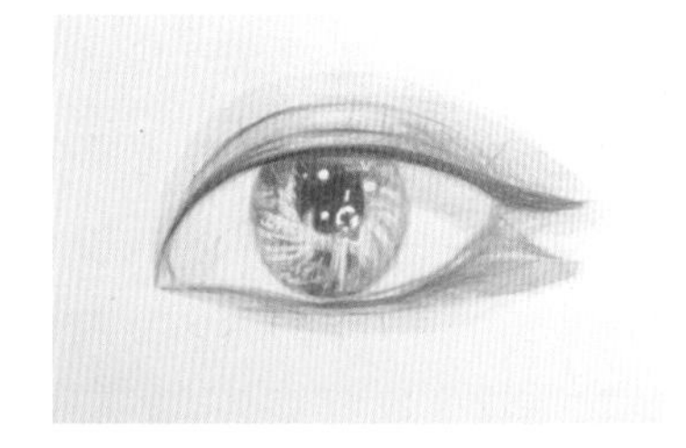

⑤ 앞서 눈동자 채색에 사용한 Parma Violet과 Pink를 혼합하여 눈동자를 촘촘히 채워 가며 모양을 다듬습니다.

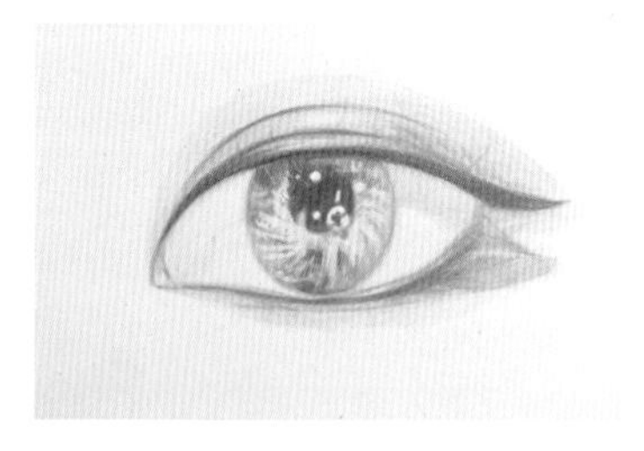

⑥ 위아래 아이라인 주변에 Terra Cotta를 부드럽게 펴 바르듯 색칠합니다.

⑦ 속눈썹 때문에 생기는 그림자를 표현하기 위해 Dark Brown으로 아이라인을 따라 색칠합니다. 동시에 같은 색으로 아이라인을 더 어둡고 선명하게 그려 깊이감을 표현합니다.

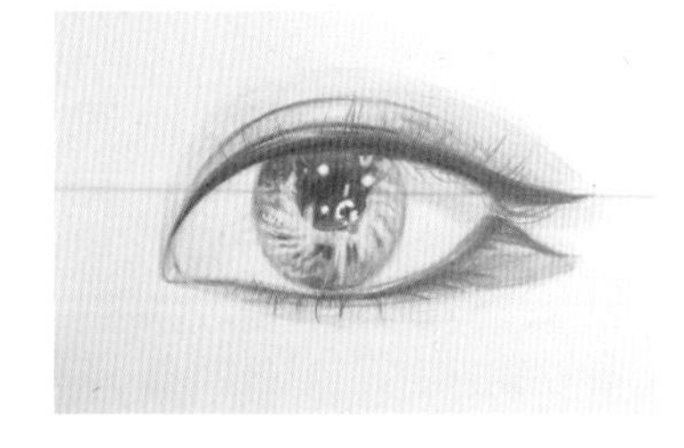

⑧ 같은 색으로 위아래에 둥근 선을 튕기듯 그려 속눈썹을 묘사합니다.

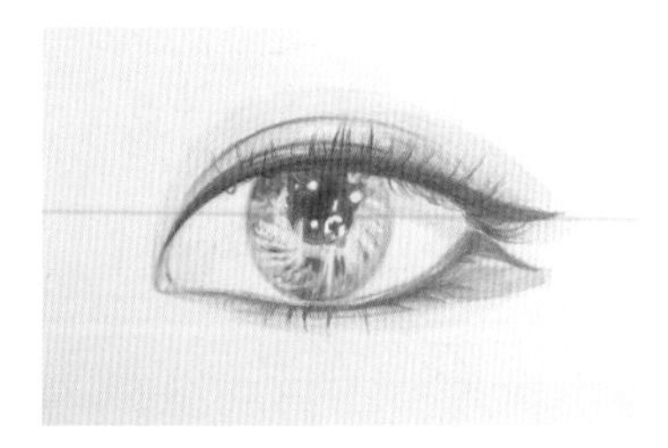

⑨ Black Cherry로 속눈썹을 더 촘촘하고 날카롭게 그려 그림을 완성합니다.

메이크업한 눈

: 스모키 메이크업 :

① Black Grape로 눈썹과 기초 섀도를 포함한 눈 주변을 색칠합니다. 아이라인은 Indanthrone Blue로 눈 앞머리까지 칠하고, 동공과 하이라이트를 제외한 눈동자는 Jade Green으로 부드럽게 칠합니다.

② Black으로 위아래 아이라인을 진하게 그리고 동공을 칠합니다. 이때 반짝이는 부분은 피해서 색칠합니다. 자잘한 홍채의 선명함은 Aquamarine으로 표현하고 눈동자 바깥 라인은 Indigo Blue로 선명하게 채색합니다.

③ 흰자 전체는 Sky Blue Light로 칠합니다. 눈두덩이와 눈썹은 Chestnut과 Greyed Lavender를 번갈아 가며 겹겹이 칠해 블렌딩합니다.

④ 눈썹과 섀도에 Mahogany Red를 덧칠해 밀도감을 높입니다. 쌍꺼풀 라인은 Chestnut으로 진하게 그려 강조합니다.

⑤ Mahogany Red와 Black Grape를 번갈아 사용해 눈의 위아래를 겹겹이 칠합니다. 스모키 메이크업의 특성상 밀도 있고 진하게 계속 칠하는 것이 중요합니다. Indigo Blue로 눈썹 중간중간 결을 그려 넣습니다.

⑥ 아래에서 위로 말려 올라가는 위쪽 속눈썹은 Black으로 뾰족하고 진하게 그립니다.

⑦ 마찬가지로 아랫눈썹은 아랫방향으로 튕기듯 뾰족하게 그립니다.

⑧ Moss Green을 살짝 섞어 눈동자 색을 풍부하게 표현하여 완성합니다.

: 데일리 메이크업 :

① Deco Peach와 Light Peach를 번갈아 블렌딩하여 눈 주변 피부를 표현합니다.

② Salmon Pink로 눈두덩이와 눈썹을 부드럽게 칠합니다.

③ 앞서 칠했던 부분을 Pink Rose로 블렌딩합니다. 눈 주변은 좀 더 진하게 힘을 주어 칠해 색이 선명하게 표현될 수 있도록 합니다.

④ Chestnut으로 눈썹과 쌍꺼풀 라인, 아이라인, 눈동자를 그리듯이 채색합니다. 흰자는 Grey Green Light로 연하게 칠한 뒤, 흰색으로 블렌딩하여 자연스럽게 표현합니다.

⑤ 과정 4에서 Chestnut으로 칠했던 부분은 Nectar로 전부 블렌딩하여 눈매를 부드럽게 표현합니다. 눈 앞머리도 반짝거리는 부분을 제외하고 색칠합니다.

⑥ Dark Brown과 Black으로 동공과 홍채의 일부분을 채색해 선명하게 표현합니다.

⑦ 같은 색으로 아이라인을 그리고, 속눈썹은 뾰족한 색연필로 튕기듯 그립니다.

⑧ 눈썹에 결을 추가하고 손에 힘을 뺀 상태로 아인라인과 쌍꺼풀 라인을 선명하게 정리하여 마무리합니다.

: 파티 메이크업 :

① Deco Peach로 눈썹과 기초 섀도를 부드럽게 칠합니다. 흰자는 Sky Blue Light로 칠하여 자연스럽게 표현합니다.

② Process Red로 눈 위쪽을 곡선으로 진하게 칠한 뒤 힘을 뺀 상태로 연결 채색하여 색의 차이를 만듭니다. 같은 색으로 위로 솟아오른 날카로운 속눈썹을 진하고 선명하게 그립니다. Black으로 속눈썹 사이를 메꾸며 진한 아이라인을 그립니다.

③ Black으로 동공을 칠하고, 날카로운 짧은 선을 가운데로 모이게 그려 홍채의 모양을 묘사합니다.

④ Tuscan Red로 아이라인 주변과 쌍꺼풀, 언더라인, 눈동자를 칠하고 Nectar로 자연스럽게 블렌딩합니다. 눈두덩이는 Nectar와 Pink Rose를 번갈아 사용해 블렌딩합니다.

⑤ 눈썹은 Nectar와 Pink Rose로 결을 살리면서 겹겹이 칠해 밀도를 쌓아 줍니다.

⑥ 아래 속눈썹은 Black Cherry로 그려 줍니다.

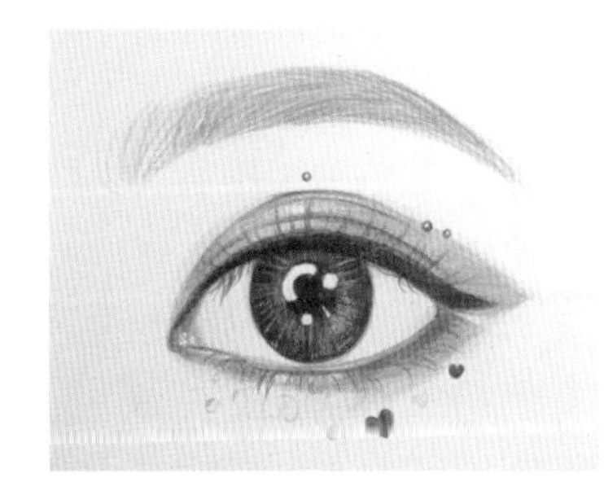

⑦ 눈 주변에 붙어 있는 화려한 스티커 장식은 Black Cherry와 Magenta, Sky Blue Light와 Light Aqua로 칠하여 완성합니다.

다양한 입술 모양

: 얇은 입술 :

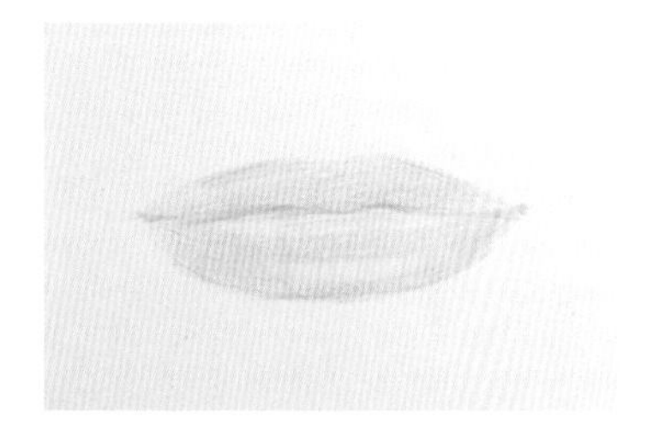

① Nectar로 입술의 빛나는 부분을 제외한 나머지 부분을 전체적으로 연하고 부드럽게 칠합니다.

② 입술 사이의 경계는 Henna와 Dark Umber로 끊어 그려 줍니다. Nectar를 뾰족하게 깎고 손에 힘을 주어 윗입술의 주름을 묘사합니다.

③ 손목으로 강약 조절을 하면서 아랫입술 주름은 비교적 연하게 묘사합니다.

④ 아랫입술과 윗입술이 맞닿는 부분은 Blush Pink로 입술의 결을 따라 색칠한다는 느낌으로 색을 채웁니다.

⑤ 그 위에 Orange를 같은 방식으로 결을 살려 칠합니다. 윗입술도 자연스럽게 퍼져나가는 것처럼 표현합니다.

⑥ 아랫입술에 Pink를 블렌딩하면서 색이 선명하게 표현될 수 있도록 합니다. 이때 입술의 반짝거리는 부분은 남겨두어야 합니다.

⑦ 마찬가지로 윗입술도 반짝거리는 부분은 남기고 Pink로 블렌딩합니다.

⑧ Light Peach로 전체적으로 블렌딩하여 입술을 부드럽게 표현합니다.

⑨ 블렌딩하면서 사라진 입술의 주름을 더 묘사한 뒤 마무리합니다.

: **도톰한 입술** :

① Permanent Red로 입술 사이의 경계선을 그린 뒤, 안쪽에서 바깥 방향으로 퍼지듯 선을 그려 넣어 입술의 주름과 결을 묘사합니다.

② 같은 색으로 나머지 입술 면도 결을 따라 칠합니다. 이때 반짝이는 부분은 남겨 둡니다. 색연필에 힘을 주어 진하게 여러 번 칠하여 볼륨감을 표현합니다.

③ 반짝거리는 부분을 제외한 입술 전체를 Hot Pink로 부드럽게 블렌딩합니다.

④ 윗입술과 아랫입술의 경계는 Dark Umber로 힘을 주었다 뺐다 하는 방식으로 연결해 그립니다.

⑤ 입술의 바깥 라인은 Salmon Pink를 살살 칠하여 입술의 색을 풍부하게 표현합니다.

⑥ 입술 안쪽을 중심으로 위아래 전부 Crimson Lake로 결을 따라 진하게 덧칠해 줍니다.

⑦ 볼륨감을 위해 아랫입술의 하이라이트 바로 밑 부분은 Permanent Red를 사용해 잔선들로 꼼꼼히 채워 명암을 표현해 줍니다.

⑧ 아랫입술 바로 아래에 Chestnut으로 라인을 강조하듯 칠하여 두툼한 입술의 특징을 표현합니다.

립스틱 표현

: 립글로즈를 바른 입술 :

① Scarlet Lake로 입술을 묘사해 가며 연하게 칠하고, 입술 안쪽은 힘을 주어 진하게 칠합니다. 이때 립글로즈를 바른 입술의 특징상 반짝거리는 하이라이트 표현이 많아야 합니다.

② 하이라이트를 제외한 나머지 부분을 Magenta로 채색합니다.

③ 앞서 사용한 색연필들로 밀도를 높입니다. 하이라이트 부분은 반짝거리는 입술 표현에 매우 중요하므로 최대한 색칠하지 않고 남겨 둡니다.

④ Dark Umber로 윗입술과 아랫입술의 경계선을 칠하고, 양쪽 입꼬리까지 연결하여 그립니다.

⑤ 전체 입술 모양의 아웃라인과 하이라이트 주변은 Dark Pink를 뾰족하게 깎아 블렌딩해 줍니다.

⑥ 이어서 입술의 안쪽을 Black으로 살짝 어둡게 칠해 줍니다.

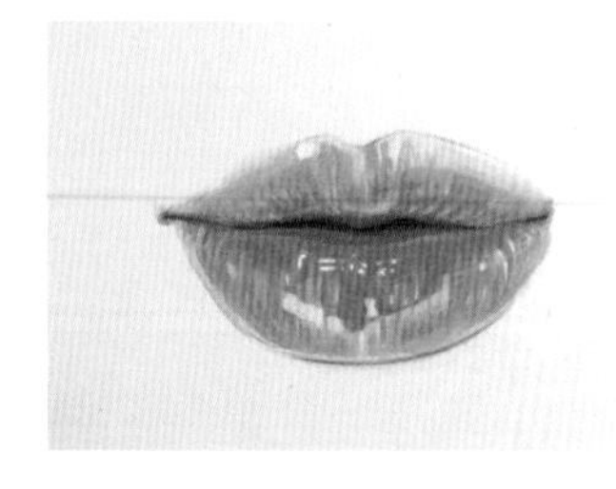

⑦ 입술의 양끝 라인을 정리하는 느낌으로 Carmine Red로 칠해 줍니다. 입술의 결이 부족한 부분은 앞서 사용한 색연필을 번갈아 사용해서 결을 조금씩 더 그려 마무리합니다.

: 매트한 립스틱을 바른 입술 :

① Pink를 손목에 힘을 뺀 상태로 입술 전체에 연하게 채색합니다.

② 입술 경계선을 Tuscan Red로 그려 윗입술과 아랫입술을 구분 지은 뒤, 안에서 밖으로 퍼지는 방향으로 Crimson Lake를 진하게 칠합니다.

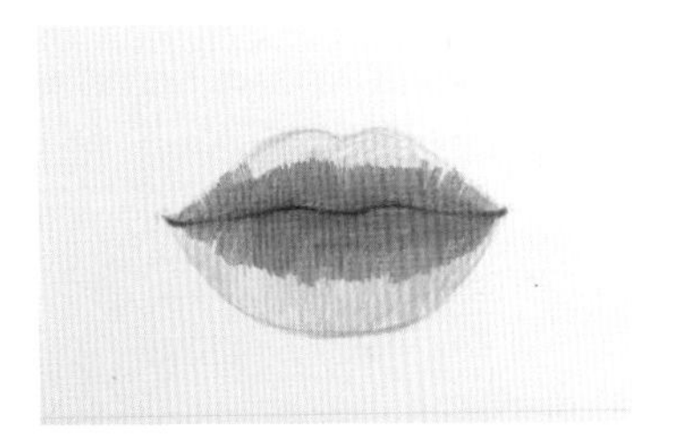

③ Magenta로 그러데이션이 되도록 칠합니다.

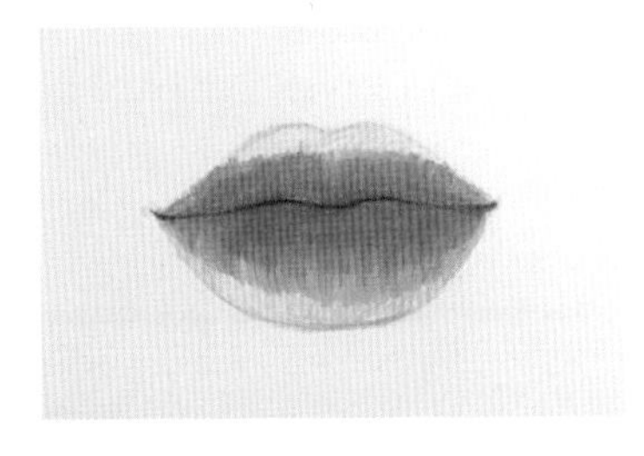

④ 그러데이션이 되도록 Pink를 위아래로 뻗어나가는 방향으로 칠합니다.

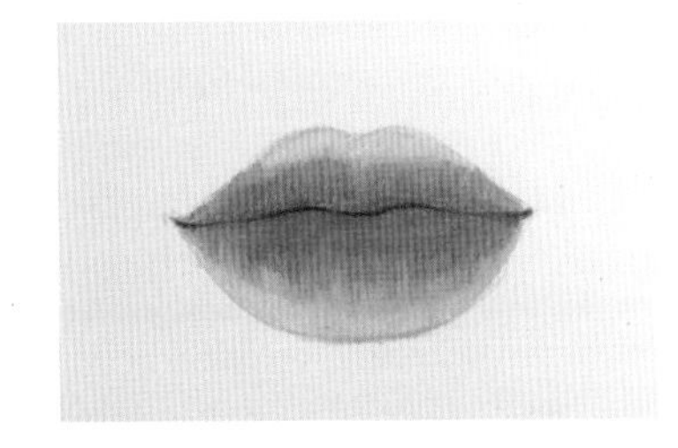

⑤ Deco Pink를 나머지 아랫입술과 윗입술에 힘을 주어 칠해 그러데이션 느낌을 냅니다.

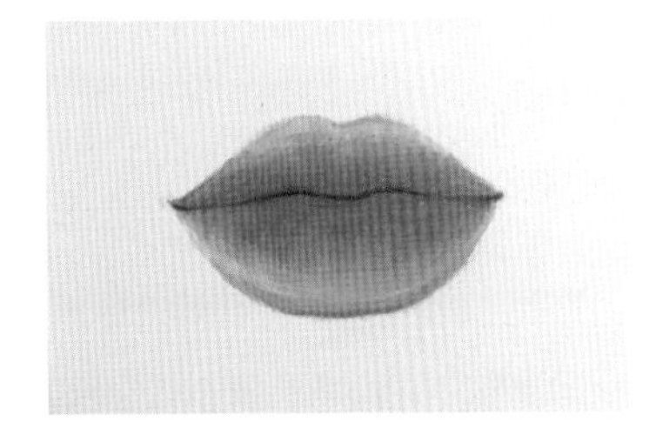

⑥ Magenta로 살짝 둥근 가로선을 입술 위아래에 촘촘히 칠해 밀도 있는 입술을 표현합니다.

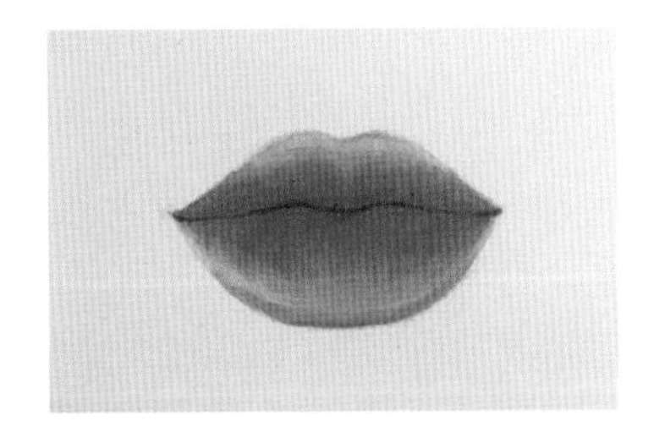

⑦ 마찬가지로 Nectar를 가로 방향으로 블렌딩합니다. 이때 핑크색으로 밝게 칠한 부분은 칠하지 않도록 유의합니다.

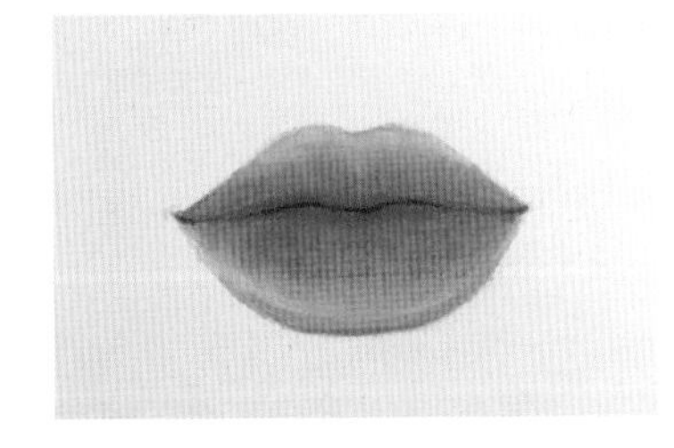

⑧ 입술 사이의 라인을 Dark Umber로 블렌딩하여 마무리합니다.

Lesson 03. 헤어 스타일 응용편

: 단발머리 :

① Dark Purple로 머릿결이 흐르는 방향에 맞춰 곡선으로 색칠합니다. 오른쪽은 왼쪽과는 반대 방향으로 머릿결의 흐름에 맞춰 색칠합니다.

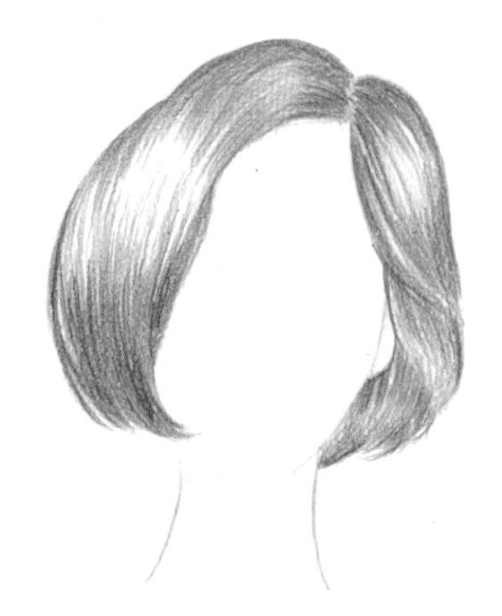

② 머릿결의 흐름을 만들었다면 같은 색을 힘주어 덧칠합니다. 귀 밑의 머리카락과 머리의 뿌리 부분은 힘을 주었다 빼며 튕기듯 진하게 칠해 끝을 날카롭게 만듭니다.

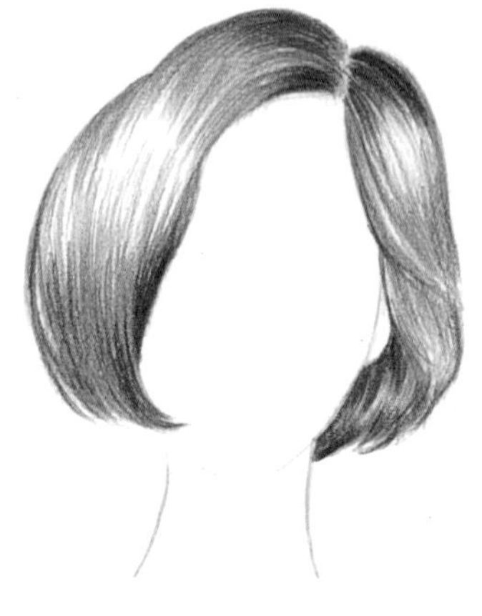

③ Black Cherry로 머리카락의 시작 부분과 귀 밑의 머리카락을 덧칠합니다. 중간중간 어두운 부분은 뾰족한 상태의 색연필로 그려 머릿결을 표현합니다.

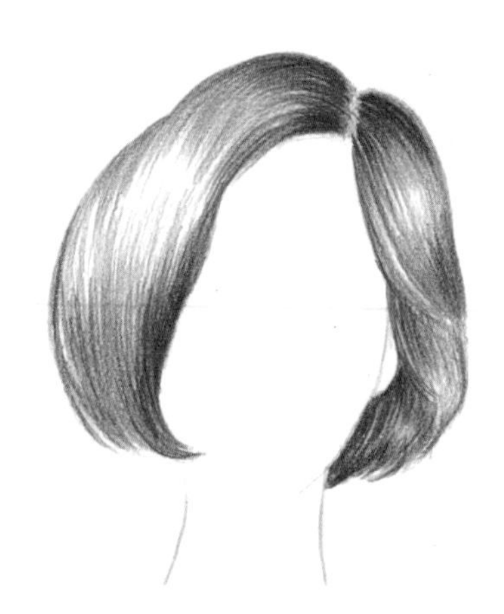

④ Dark Purple로 머리카락의 뿌리 부분을 튕기듯 곡선으로 덧칠합니다. 얼굴과 맞닿는 부분과 귀 밑 부분 역시 블렌딩하듯 칠합니다.

⑤ 마지막으로 전체적인 머릿결을 정리하는 느낌으로 흐름과 방향에 맞춰 그린 뒤 완성합니다.

: 긴 웨이브 머리 :

① Goldenrod으로 머리카락을 전체적으로 부드럽게 칠한 뒤, 색연필 심을 뾰족하게 깎아 색연필에 힘을 준 상태로 웨이브의 흐름에 맞춰 머리카락을 좀 더 묘사합니다.

② 반대쪽도 마찬가지로 날카로운 심을 유지하면서 머리카락을 그리듯 채색합니다.

③ 볼륨감을 살려 주는 하이라이트 부분은 제외하고 굴곡이 있는 곳을 뾰족한 상태의 Mineral Orange로 그리듯 색칠하여 입체감을 표현합니다.

④ 밝은 노란색인 Sand로 하이라이트 부분을 제외한 나머지 부분을 전체적으로 블렌딩합니다. 블렌딩 후에 Mineral Orange로 머릿결을 여러 번 덧그려 정리합니다.

⑤ 측면과 머리카락이 끝나는 부분은 Sienna Brown으로 진하게 덧칠하여 머리카락의 양감을 표현합니다.

: 묶은 포니테일 :

① Chocolate으로 머리카락을 전체적으로 연하게 칠합니다.

② 같은 색의 색연필을 손에 힘을 주고 세운 상태에서 밝은 부분을 피해 한 올씩 그립니다. 머리가 묶여 있는 중심도 색연필을 세워 메꾸듯이 색칠합니다.

③ 색연필을 뾰족한 상태로 유지한 채 머릿결 흐름과 방향에 맞추어 덧칠하여 머리카락을 선명하게 표현합니다.

④ Sandbar Brown으로 머리카락 흐름에 맞추어 블렌딩하여 색감을 풍부하게 표현합니다. 블렌딩을 하는 과정에서 하이라이트 부분을 색칠하지 않도록 조심합니다.

⑤ Ginger Root로 다시 전체적으로 블렌딩하듯 색을 덧입힙니다. 다양한 색감이 올라갈수록 완성도가 높아집니다.

⑥ Chocolate으로 머리카락을 조금 더 묘사하여 그림을 완성합니다.

: 긴 생머리 :

① 끝부분을 제외한 나머지 부분을 Lilac으로 부드럽게 채색합니다.

② Blue Violet Lake로 머리카락 끝부분을 칠합니다. 위와 아래의 머리카락이 자연스럽게 연결되도록 블렌딩합니다.

③ 턱선에 떨어지는 머리카락과 뿌리 부분을 Blue Violet Lake로 결을 그리듯 칠합니다. 얼굴 주변 중 귀의 밑부분도 같은 색을 블렌딩하듯 채워 넣어 색감을 다채롭게 표현합니다.

④ Greyed Lavender로 머리카락 전체를 블렌딩하고 Lilac으로 밀도를 높입니다. Electric Blue로 머리카락 끝의 파란 부분을 선명하게 색칠하여 완성합니다.

: 긴 히피펌 :

① Pink로 하이라이트 부분을 제외한 머리카락 전체를 채색합니다.

② 50% Warm Grey로 힘 조절을 하며 머리카락의 큰 덩어리를 따라 그리고 머리카락 흐름에 맞춰 칠한 후, 30% Warm Grey로 블렌딩합니다.

③ 50% Warm Grey로 머리카락 아랫부분을 한 톤 어둡게 칠합니다. 이때 핑크 계열 머리카락과 잘 블렌딩해 줍니다.

④ Pink를 덧칠해 전체적으로 선명하게 만들고 10% Cool Grey로 하이라이트를 제외한 부분을 블렌딩하여 완성합니다.

: 짧은 웨이브 단발 :

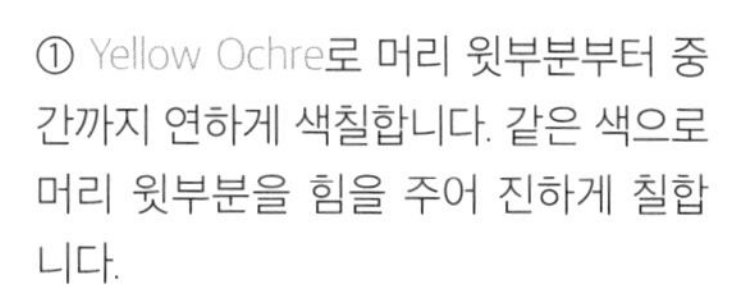

① Yellow Ochre로 머리 윗부분부터 중간까지 연하게 색칠합니다. 같은 색으로 머리 윗부분을 힘을 주어 진하게 칠합니다.

② Mineral Orange로 나머지 부분을 채색합니다. 이때 위아래 경계가 잘 블렌딩되도록 연결 부위를 부드럽게 겹쳐 칠합니다.

③ 뾰족하게 깎은 Mineral Orange를 힘을 주어 칠해 머리카락 음영을 만듭니다.

④ 같은 색으로 앞머리 끝부분에 연하게 색을 올려 염색한 느낌을 표현합니다.

⑤ 머리카락이 시작하는 뿌리 부분과 머릿결 흐름에 맞추어 중간중간 오렌지 계열의 색을 덧칠합니다.

⑥ 두 가지 색을 번갈아 색칠하여 밀도를 높입니다.

Lesson 04. 헤어 소품 응용편

: 귀여운 헤어핀 :

① Light Umber로 머리카락을 결의 방향대로 채색합니다.

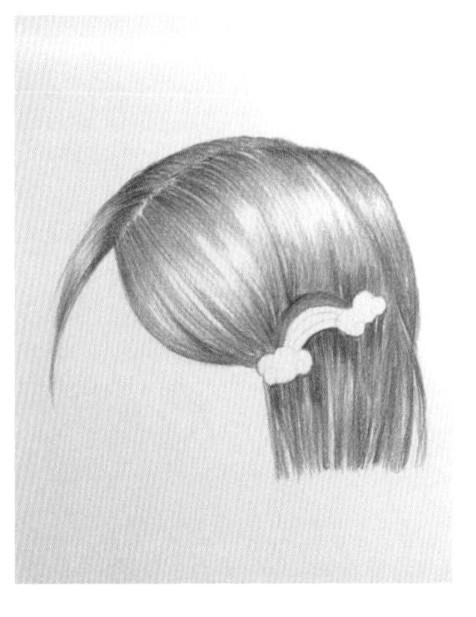

② Burnt Ochre로 머리카락의 어두운 부분을 표현한 뒤, 머리핀의 위칸부터 Permanent Red, Orange를 차례대로 칠하여 무지개색을 표현합니다.

③ 이어 Lemon Yellow와 Grass Green을 칠해 무지개색을 연결합니다.

④ 마지막 무지개색으로 Peacock Blue를 칠합니다.

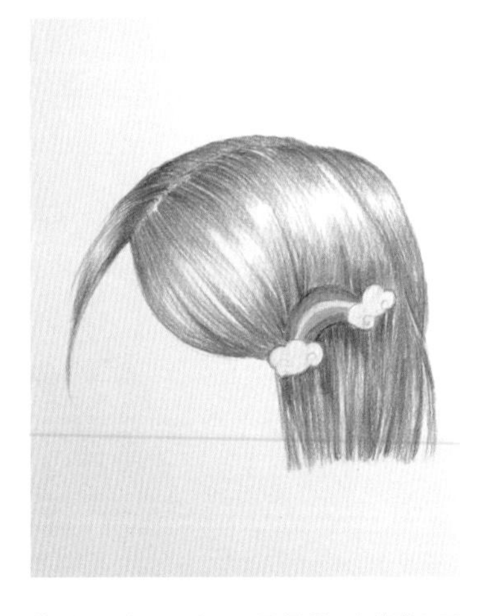

⑤ Sky Blue Light로 구름을 전체적으로 칠한 뒤, Caribbean Sea로 구름의 아웃라인을 그려 정리합니다.

: 단아한 헤어핀 :

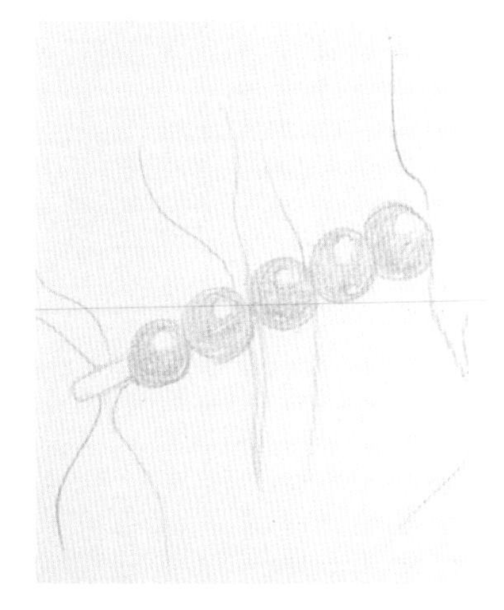

① Yellow Ochre로 하이라이트를 제외한 노란 진주핀의 구슬을 색칠합니다.

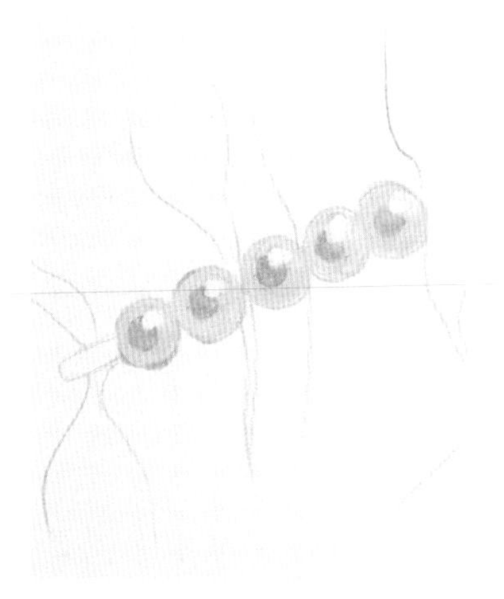

② 진주 안의 어두운 음영을 Goldenrod으로 동그랗고 진하게 칠합니다.

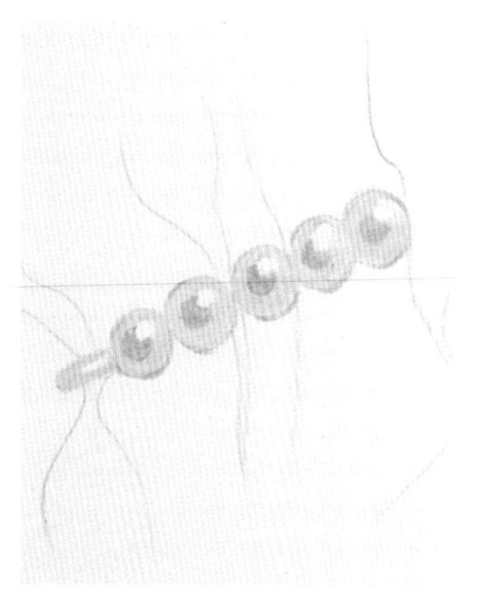

③ 핀 부분은 반짝이는 하이라이트를 조금 남기고 Ginger Root로 칠합니다.

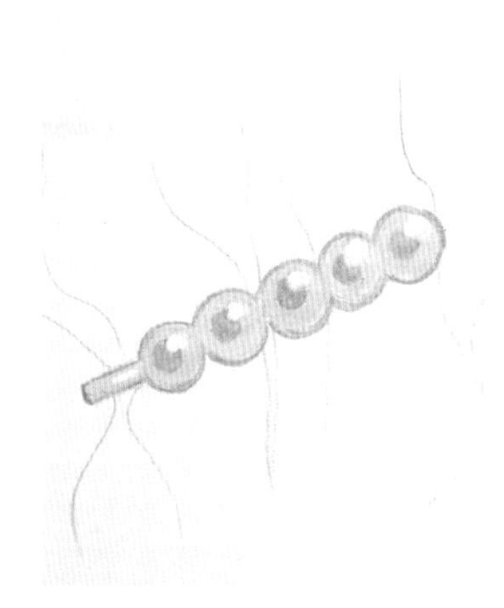

④ Cream으로 구슬을 전체적으로 살살 블렌딩하고, Artichoke로 아웃라인을 그려 선명하게 만듭니다.

⑤ Dark Umber로 머리핀의 그림자를 그려 넣어 음영 효과를 표현합니다.

: 헤어밴드 :

① Mahogany Red로 머리카락 전체를 부드럽게 칠합니다.

② 같은 색으로 머리카락의 어두운 부분을 힘주어 채색합니다.

③ 헤어밴드는 20% Cool Grey로 헤어밴드 끈에서 생기는 주름의 방향대로 칠합니다.

④ 같은 색의 색연필에 힘을 더 주어 어두운 음영을 표현하고, 30% Cool Grey로 가장 어두운 부분을 칠합니다. 70% Cool Grey로 헤어밴드의 전반적인 라인을 따라 그립니다.

⑤ 뾰족하게 깎은 Greyed Lavender로 헤어밴드 안에 동그라미 패턴을 채워 넣습니다. 중간 어두운색은 Lilac으로, 진한 어두운색은 Black Grape로 칠해 완성합니다.

: 머리띠 :

① Chestnut으로 머리띠 틀을 촘촘히 색칠합니다.

② 머리띠의 라인을 진한 갈색인 Dark Brown으로 정리합니다.

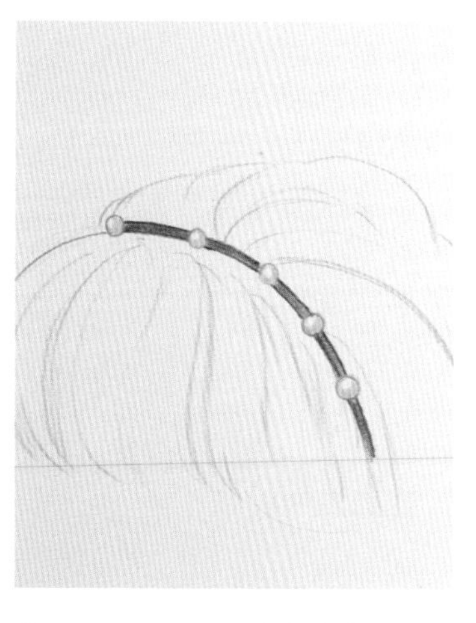

③ Seashell Pink로 구슬의 하이라이트를 제외한 나머지 부분을 칠합니다.

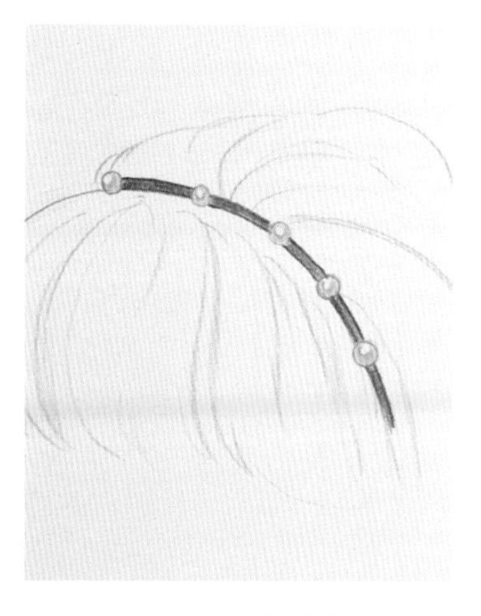

④ Beige Sienna로 구슬 안의 어두운 음영 부분을 표현합니다.

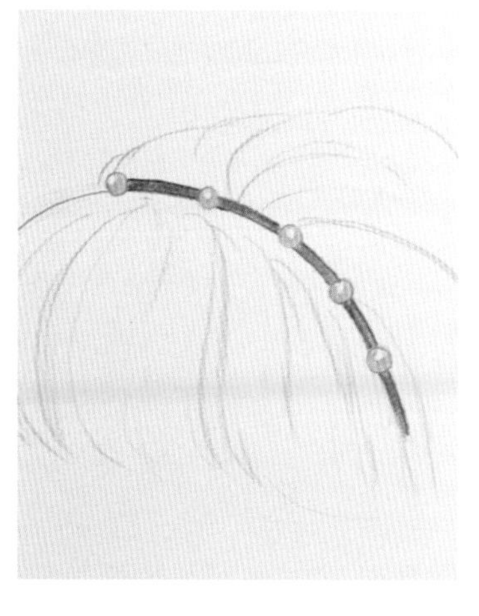

⑤ Blush Pink로 구슬을 블렌딩하여 마무리합니다.

Lesson 05. 액세서리 응용편

: 목걸이 :

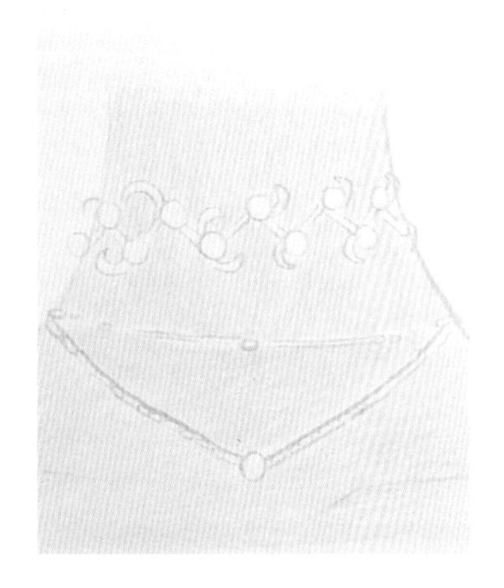

① Eggshell과 Deco Pink를 블렌딩하여 목걸이를 착용하고 있는 피부 톤을 완성합니다.

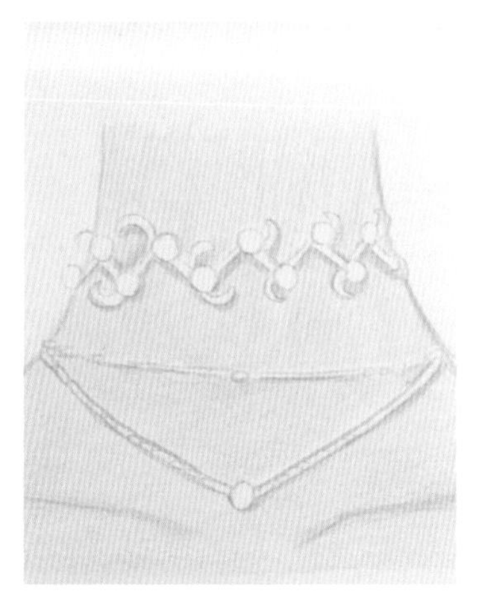

② 목걸이 착용으로 생긴 그림자와 쇄골 라인은 Pink Rose로 표현합니다.

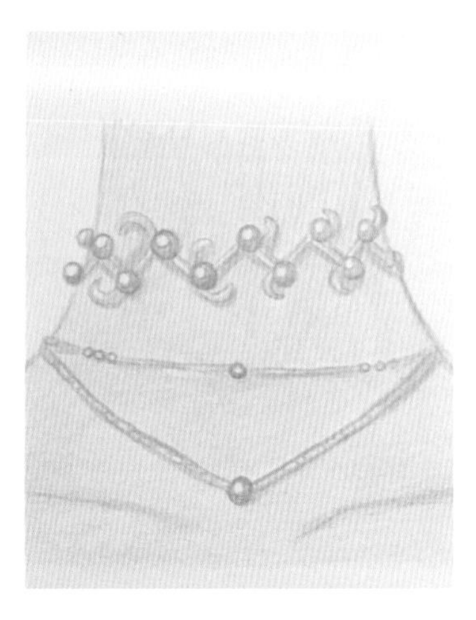

③ 20% Cool Grey로 하이라이트 부분을 제외한 목걸이 전체를 채색한 뒤, 동그란 진주 부분은 Silver로 덧칠합니다.

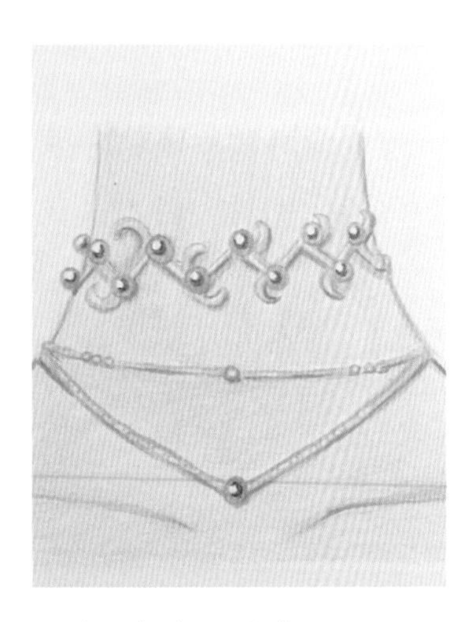

④ 진주 안 어두운 음영은 70% Warm Grey로 표현합니다.

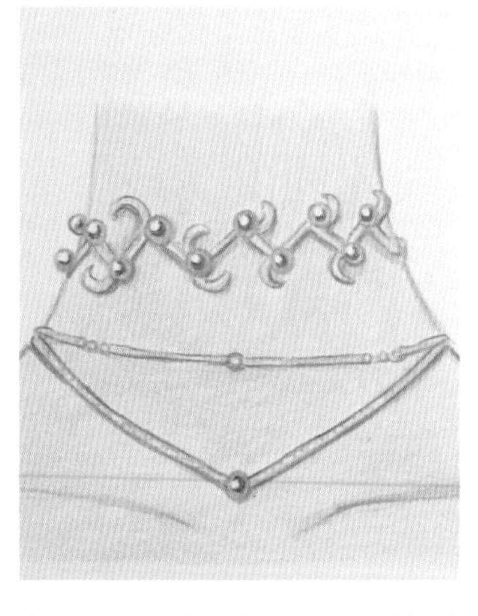

⑤ Nectar로 인물의 목 부분 음영을 따라 그리듯 색칠하고 어두운 회색 계열로 액세서리의 라인을 그려 완성합니다.

: **귀걸이** :

① Eggshell로 귀를 전체적으로 칠합니다.

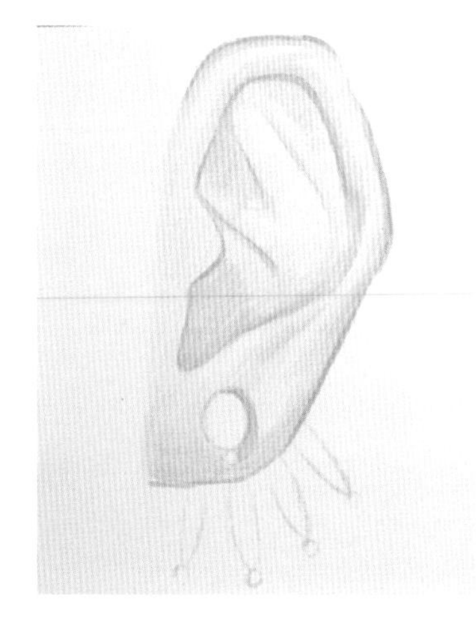

② Pink Rose로 음영을 만든 뒤 Peach로 귀의 라인과 어두운 부분을 덧칠합니다.

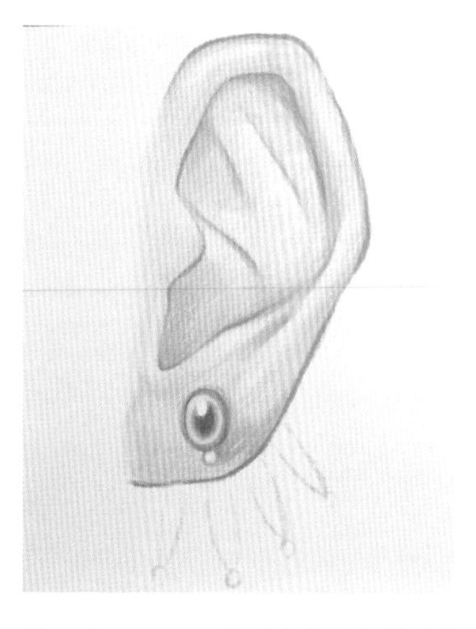

③ Light Aqua로 하이라이트를 제외한 귀걸이의 일부를 채색하고 액세서리 가운데 어두운 동그라미 부분은 Cobalt Turquoise로 칠합니다.

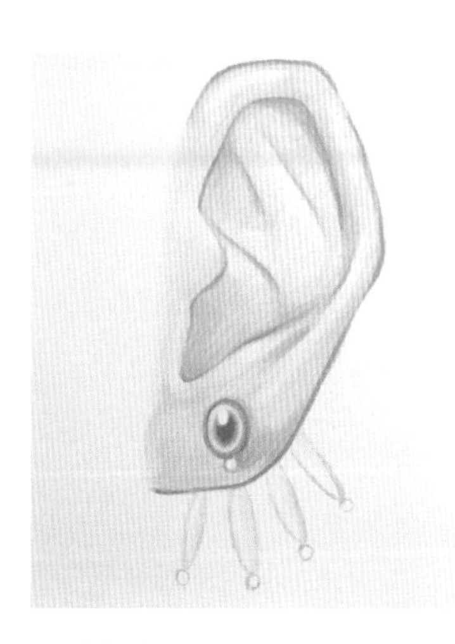

④ 가장 아래에 있는 작은 동그라미 액세서리는 Light Aqua로 아웃라인을 그립니다.

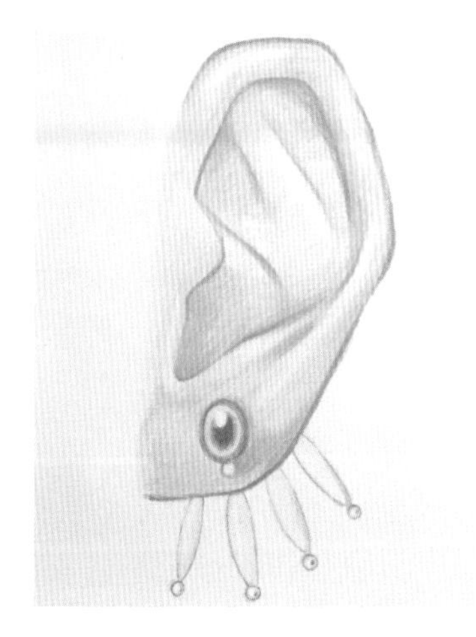

⑤ 같은 색으로 연하게 색칠하여 그림을 완성합니다.

소녀의 드로잉

PART 4

색연필을 이용한 소녀 컬러링

몽환의 날_ #01

: COLOR GUIDE :

1. Light Peach, Eggshell, Deco Pink로 얼굴을 전체적으로 부드럽게 채색합니다.

2. Salmon Pink로 눈썹 결을 살리며 칠하고 눈두덩이도 옅게 채색합니다. 위아래 아이라인과 쌍꺼풀 라인을 Carmine Red로 칠합니다.

3. Crimson Lake와 Dark Brown을 번갈아 가며 아이라인을 그리듯이 색칠합니다. Celadon Green으로 눈동자 전체를 칠한 뒤 Dark Brown으로 동공을 동그랗게 칠하고 눈동자의 라인도 살살 그려 줍니다. 눈동자의 빛나는 부분은 칠하지 않고 남겨 둡니다.

4. Black으로 위아래 속눈썹을 촘촘하게 그립니다. Salmon Pink로 코와 입술을 연하게 칠하고 Pumpkin Orange로 콧구멍과 양옆 콧볼을 살짝 그린 뒤, 입술 안쪽 라인도 같은 색으로 선을 그려 넣습니다.

5. Salmon Pink를 볼의 위에서 아래 방향으로 부드럽게 채색합니다. Pumpkin Orange로 얼굴과 귀의 라인을 선명하게 그린 뒤, 10% Cool Grey로 귀걸이와 목걸이를 전체 채색합니다. 목걸이의 가운데 보석은 Permanent Red로 칠하고, Pomegranate로 테두리를 그립니다.

6. Orange, Pale Vermilion, Spanish Orange 순으로 머리카락에 색을 살살 올립니다. 이때 머리카락의 볼륨을 표현하기 위해 튀어나와 있는 부분은 칠을 살짝 피하여 반짝이는 하이라이트처럼 남깁니다. 머릿결 사이사이는 Pumpkin Orange로 음영을 표현하여 완성합니다.

몽환의 날_ #02

: COLOR GUIDE :

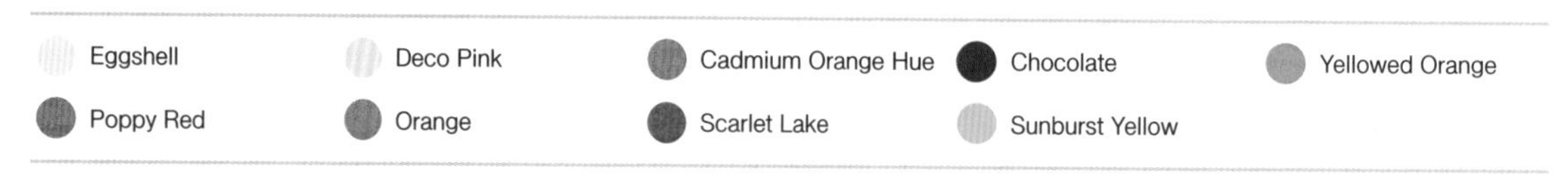
Eggshell
Deco Pink
Cadmium Orange Hue
Chocolate
Yellowed Orange
Poppy Red
Orange
Scarlet Lake
Sunburst Yellow

1. Eggshell과 Deco Pink를 번갈아 채색하여 전체적인 피부 톤을 만듭니다.

2. Cadmium Orange Hue로 눈썹과 눈 주변, 눈동자 전체, 언더라인을 칠하고 Chocolate으로 진한 아이라인과 동공, 눈동자의 아웃라인을 그립니다. 속눈썹은 아래에서 위로 튕기듯 그립니다.

3. 볼은 Yellowed Orange를 사용해 위에서 아래로 부드럽게 색칠하고 Deco Pink로 코 부분을 블렌딩합니다. 입술은 Cadmium Orange Hue로 결을 따라 색칠한 뒤 Chocolate으로 입술 안쪽과 아래쪽에 라인을 살짝 그려 음영을 넣습니다.

4. Poppy Red로 머릿결을 따라 채색합니다. Cadmium Orange Hue로 얼굴과 팔, 쇄골 라인을 그리고 같은 색으로 목 아래에 그림자 명암을 넣은 뒤, Deco Pink로 블렌딩하여 자연스럽게 만듭니다.

5. 머리카락에 Orange를 블렌딩하듯 올리고, Scarlet Lake로 중간 중간 어두운 부분을 칠해 머리카락의 결을 살립니다.

6. Sunburst Yellow로 해바라기의 꽃잎을 칠합니다. 해바라기의 가운데는 Chocolate으로 칠하고 주변 꽃잎은 Cadmium Orange Hue로 그러데이션을 넣어 완성합니다.

몽환의 날_ #03

: COLOR GUIDE :

1. Deco Pink로 얼굴을 고르게 칠한 뒤, Mineral Orange로 눈썹과 섀도, 언더라인을 부드럽게 칠합니다.

2. Mineral Orange로 눈동자를 칠하고 Burnt Ochre로 블렌딩합니다. 위아래 아이라인은 Burnt Ochre로 그리듯이 칠하고, 위쪽 아이라인에는 Dark Umber로 덧칠해 눈매를 선명하게 만듭니다. 같은 색으로 아래위 속눈썹도 촘촘히 그려 넣습니다.

3. Henna로 입술의 결을 살려 칠하고, Pink Rose로 블렌딩하여 입술을 완성합니다.

4. 머리카락은 Mineral Orange, Burnt Ochre 순으로 머릿결을 한 올 한 올 그리듯이 칠하고, 꽃잎은 Blush Pink로 음영을 구분하여 칠합니다. 같은 색이어도 손에 힘을 주어 칠하면 어둡게 표현되므로 손의 강약을 잘 조절합니다. 떨어진 꽃잎은 라인을 따라 그리듯 칠하여 선명하게 표현합니다.

5. Limepeel로 잎사귀 전체를 부드럽게 칠하고, 잎사귀의 가장자리는 Olive Green으로 덧칠해 입체감을 살립니다. 30% Cool Grey로 옷을 칠하되 힘 조절을 하여 음영을 만듭니다.

6. 옷 주름의 가장 어두운 부분을 50% Cool Grey로 색칠하여 완성합니다.

몽환의 날_ #04

: COLOR GUIDE :

1. Light Peach와 Deco Peach를 번갈아 사용해 피부를 부드럽게 색칠한 뒤, 코와 볼은 추가로 덧칠하여 볼륨감을 살립니다. 눈썹과 위아래 아이라인은 Henna로 부드럽게 그리듯 칠합니다.

2. Chestnut으로 섀도를 바르듯 눈 주변을 칠하고, 속눈썹은 아래에서 위로 튕기듯 그립니다. Burnt Ochre로 눈동자 전체를 연하게 칠한 뒤, Dark Umber로 동공을 동그랗게 채색합니다. 눈동자 바깥 라인도 살짝 힘을 주어 그립니다. Clay Rose로 코, 얼굴, 목, 어깨 등의 라인을 따라 그려 인물을 선명하게 표현합니다.

3. Pale Vermilion으로 입술의 밑색을 바릅니다. 윗입술과 아랫입술이 맞닿은 어두운 면은 Mineral Orange로 블렌딩하고 Poppy Red를 힘을 살짝 뺀 상태로 전체적으로 블렌딩합니다. Dark Umber로 입술 가운데 라인과 양끝, 입술 아래쪽에 선을 살짝 그려 넣습니다.

4. Clay Rose, Henna, Mineral Orange 순으로 머리카락 흐름에 맞춰 긴선으로 부드럽게 채색하면서 볼륨이 있는 부분은 하얗게 남겨 둡니다. 이어 Henna, Light Umber로 머리카락의 라인을 정리합니다. 머리 장식 꽃은 Canary Yellow로 밑칠하고 Pale Vermilion으로 꽃잎의 흐름과 라인을 덧칠한 뒤, Carmine Red와 Black으로 어두운 부분을 선명하게 칠합니다.

5. 귀걸이는 20% Warm Grey로 칠합니다. 옷은 Pink로 색칠하고 옷 주름이 생기는 부분과 접히는 부분은 Blush Pink로 살살 여러 번 덧칠합니다.

6. 인물 오른쪽의 활짝 핀 꽃은 Salmon Pink로 밑색을 칠한 뒤 Pale Vermilion으로 꽃잎의 결을 따라 그리듯 칠합니다. 나머지 꽃은 Canary Yellow로 밑색을 깔고 Pink를 겹쳐 칠하는 동시에 꽃잎 라인을 진하게 따라 그려 선명하게 표현합니다. 줄기는 Cobalt Turquoise로 칠하여 완성합니다.

새벽 감성_ #01

: COLOR GUIDE :

10% Cool Grey
Deco Pink
Sky Blue Light
Electric Blue
Blue Violet Lake
Lilac
Black Cherry
Denim Blue
Pink
Magenta
Powder Blue
Light Aqua
Greyed Lavender
Blue Lake
Aquamarine
Black

1. 빛을 받는 볼의 하이라이트를 제외한 나머지 피부를 10% Cool Grey와 Deco Pink를 번갈아 사용해 부드럽게 색칠합니다. 머리카락 역시 빛을 받아 반짝거리는 부분을 제외하고 Sky Blue Light와 Electric Blue로 머릿결 방향대로 선을 그리듯 표현합니다.

2. Blue Violet Lake와 Lilac을 번갈아 가며 머릿결 방향대로 한 올 한 올 머리카락을 그려 선명하게 색감이 올라갈 수 있도록 합니다. 눈썹과 눈 주변도 Lilac으로 색칠합니다.

3. Black Cherry로 쌍꺼풀 라인을 강하게 그린 뒤 흰색 색연필로 눈 주변을 블렌딩합니다. Denim Blue로 눈동자를 선명하게 칠하고 Black으로 아래위의 아이라인을 그린 뒤, 다시 Denim Blue를 사용하여 아이라인을 덧그립니다. Black으로 동공과 속눈썹을 그려 눈을 마무리합니다.

4. Pink로 코와 볼에 음영을 넣어 입체감을 살립니다. 입술은 Magenta로 안쪽을 진하게 칠하다가 바깥쪽은 힘을 풀어 연하게 표현한 뒤, Pink로 자연스럽게 블렌딩합니다. 벌린 입술 사이의 어두운 부분은 Black으로 라인을 살짝 끊어 그리면 자연스러운 입 모양을 표현할 수 있습니다.

5. Powder Blue로 옷 전체를 부드럽게 색칠하고 Light Aqua로 줄무늬 라인을 칠합니다. 줄무늬를 색칠할 때 옷이 접히는 부분이나 경계선은 여러 번 덧칠하여 명암을 표현합니다. 베개는 하이라이트를 제외한 부분을 Greyed Lavender를 눕힌 상태에서 칠하고, Lilac으로 아웃라인을 선명하게 그립니다.

6. 담요는 Lilac으로 꽃잎의 형태를 밑그림처럼 그린 뒤, Blue Lake와 Aquamarine을 번갈아 색칠하여 완성합니다.

새벽 감성_ #02

: COLOR GUIDE :

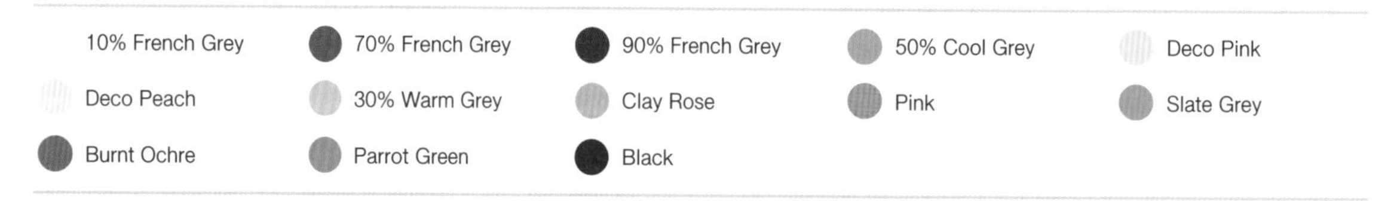

1. 얼굴과 목을 포함한 피부를 10% French Grey로 칠한 뒤, Deco Pink를 블렌딩하듯 덧칠합니다. 눈썹과 섀도는 30% Warm Grey를 연하게 칠해 표현합니다. 코끝 하이라이트를 제외한 코 전체를 Deco Peach로 칠하여 음영을 살리고, 90% French Grey로 콧구멍을 칠한 뒤 Clay Rose로 코의 라인을 살짝 따라 그립니다.

2. 눈썹은 Burnt Ochre로 결을 살려 색칠하고, 같은 색으로 쌍꺼풀을 포함한 전체적인 눈의 라인과 섀도를 부드럽게 표현합니다. 눈동자는 하이라이트 부분을 남겨 두고 Parrot Green으로 색칠하고, Black으로 동공과 속눈썹을 채워 줍니다.

3. 입술의 안쪽은 Pink를 진하게 힘주어 칠합니다. 이때 입술의 반짝이는 부분은 남겨 둡니다. 그 뒤에 Deco Peach로 주변 피부 톤과 입술의 핑크색이 잘 어우러지도록 힘을 주어 블렌딩합니다. 같은 색의 색연필을 눕힌 상태로, 볼 부분을 위에서 아래 방향으로 부드럽게 채색합니다.

4. Deco Peach로 귓속 어두운 부분을 칠한 뒤, Clay Rose로 인물의 전체 바깥 라인을 그리고 목에 명암을 넣습니다. 쇄골은 Clay Rose와 Pink로 부드럽게 음영을 주어 입체감이 느껴지도록 표현합니다.

5. 머리카락은 머릿결이 흐르는 방향대로 70% French Grey로 촘촘히 선을 그려 넣습니다. 전체적으로 부드럽게 칠했다면 머리카락이 시작되는 뿌리 지점과 귀 뒤로 넘어가는 부분은 힘을 주어 여러 번 덧칠해 머리카락이 정리되어 보이게 합니다.

6. 인물이 착용한 목걸이는 10% French Grey로 색을 채우고, Slate Grey로 옷을 전체적으로 부드럽게 칠한 뒤, 50% Cool Grey로 블렌딩하여 마무리합니다.

새벽 감성_ #03

: COLOR GUIDE :

1. Light Peach와 Deco Pink를 섞어 전체적인 피부를 채색합니다. 눈썹은 Burnt Ochre를 사용하여 결을 살려 그리듯 칠하고, 쌍꺼풀 라인도 그립니다. Lilac으로 눈 주변을 화장하듯이 칠한 뒤, Dark Umber로 아이라인을 진하게 그립니다.

2. Dark Umber로 윗눈썹을 그리고 Jasmine으로 눈동자를 칠한 뒤, 눈두덩이의 그림자가 드리워지는 눈동자 윗부분은 Artichoke를 덧칠해 표현합니다. Burnt Ochre로 동공과 홍채 라인을 칠하고 아래쪽 속눈썹과 콧구멍의 어두운 부분까지 그립니다. 볼과 코의 음영은 Blush Pink를 여러 번 덧칠해 표현합니다. 코끝의 하이라이트는 칠하지 않고 남겨 둡니다.

3. Cadmium Orange Hue로 입술의 반짝이는 부분을 제외한 입술 전체를 칠하고 Salmon Pink로 자연스럽게 블렌딩합니다. 윗입술과 아랫입술이 맞닿는 경계는 Tuscan Red로 선을 살짝 끊어 그립니다.

4. 인물의 인상이 선명해 보이도록 Parma Violet과 Dahlia Purple로 머리카락이 드리워지는 얼굴과 이마 라인에 색을 채워 넣습니다.

5. 같은 색으로 머릿결을 따라 전체적으로 블렌딩하듯 채색한 뒤, 하이라이트를 제외한 머리카락을 Black으로 전체 채색합니다. 볼터치에 사용한 Blush Pink로 손가락 마디도 칠하여 음영 표현을 합니다.

6. Lilac으로 목과 손 사이에 선을 촘촘히 그려 그림자 음영을 표현합니다. Powder Blue로 인물의 옷을 꼼꼼히 색칠한 뒤, Blue Lake로 옷의 라인을 따라 그려 마무리합니다.

새벽 감성_ #04

EMOTION

: COLOR GUIDE :
Greyed Lavender
Deco Pink
Light Peach
Lilac
Pink
Parma Violet
Electric Blue
Mulberry
Indanthrone Blue
Cloud Blue
Powder Blue
Blue Violet Lake

1. 전체적인 피부 톤을 Greyed Lavender, Deco Pink, Light Peach 순으로 블렌딩하듯 칠합니다. 이때 코와 볼, 그림자가 생기는 어두운 부분도 함께 채색합니다.

2. 눈썹과 섀도, 눈동자를 Lilac과 Pink를 번갈아 가며 칠한 뒤, 동공과 아이라인, 속눈썹은 Parma Violet으로 진하고 선명하게 그립니다. 입술은 Lilac을 안쪽부터 칠하고 바깥으로 갈수록 색이 퍼져 나가게 Pink로 블렌딩합니다. 목 뒤나 아래에 그림자가 드리워진 부분도 색을 덧칠해 더 진하게 표현합니다.

3. 머리카락은 Electric Blue, Lilac, Pink 순으로 레이어드하듯이 겹겹이 부드럽게 쌓아 줍니다. 머리카락의 흐름이 모이는 어두운 부분은 손에 힘을 주어 머리카락을 한 올 한 올 그린다는 느낌으로 진하게 색칠합니다.

4. 인물이 착용하고 있는 헤드셋의 진한 자주색은 Mulberry로 칠하고, 귀에 닿는 부분은 파란 계열의 Indanthrone Blue로 채색합니다. 나머지 부분은 Pink로 칠한 뒤, 연한 하늘색인 Cloud Blue로 전체적으로 블렌딩하여 부드럽게 표현합니다.

5. Powder Blue로 옷의 동그라미 패턴을 제외한 전체를 채색하고, 그림에서 보이는 옷의 그림자와 어두운 부분은 Blue Violet Lake로 덧칠합니다.

6. 인물이 들고 있는 책은 Indanthrone Blue로 연하게 전체를 칠한 뒤, Electric Blue로 블렌딩합니다. 책의 옆 부분은 인물이 입고 있는 옷과 같은 색으로 칠하고 라인을 그려 마무리합니다.

수줍은 미소_ #01

: COLOR GUIDE :

1. Deco Yellow로 얼굴을 채색한 뒤, Deco Pink로 부드럽게 덧칠합니다. 눈썹과 눈 주변은 Pumpkin Orange로 색감을 올리고, 눈동자는 동공과 하이라이트 부분을 남겨 두고 Chocolate으로 동그랗게 칠합니다.

2. 눈 주변과 코에 Pink Rose로 음영을 넣습니다. Black으로 동공과 아이라인을, Chocolate으로 속눈썹을 그려 인상을 선명하게 표현합니다. Chocolate을 사용해 인물의 콧대와 콧구멍에 자연스럽게 음영을 그려 넣습니다.

3. 비슷한 갈색 계열로 얼굴의 외곽 라인과 입술 안쪽의 라인을 그린 뒤, Pumpkin Orange로 반짝거리는 부분을 제외한 입술 전체를 부드럽게 채색합니다.

4. Pumpkin Orange로 머리카락을 전체적으로 칠한 뒤, Sienna Brown으로 밑그림을 따라 머릿결을 날카롭게 힘을 주어 그립니다. 머릿결 사이사이 어두운 부분을 색칠해 주면 더 다채로운 머리카락을 표현할 수 있습니다.

5. 모자는 Limepeel로 채색한 뒤, Kelly Green으로 어두운 부분을 칠해 음영을 표현합니다. 목도리는 Yellow Ochre로 전체적으로 칠하고 Spanish Orange로 명암과 음영 표현을 한 뒤, Mineral Orange로 줄무늬를 그려 완성합니다.

6. 옷은 Dark Umber와 Chocolate, Terra Cotta를 번갈아 사용하며 블렌딩하듯 색칠하여 완성합니다.

수줍은 미소_ #02

: COLOR GUIDE :

Light Peach
Deco Pink
Magenta
Permanent Red
Cadmium Orange Hue
Burnt Ochre
Muted Turquoise
Peacock Blue
Poppy Red
Rosy Beige
Henna
20% Cool Grey
Black

1. 피부는 Light Peach와 Deco Pink 두 가지 색을 사용하여 부드럽고 밀도 있게 칠합니다. 눈썹은 Magenta로 결을 살려 그립니다.

2. 눈두덩이는 Permanent Red와 Cadmium Orange Hue로 부드럽게 채색하고 위아래 아이라인은 Burnt Ochre로 선명하게 그립니다. Black으로 아이라인을 덧그려 인물의 눈매를 깊이 있게 만들고, 같은 색으로 위아래 속눈썹과 동공도 함께 그려 줍니다. 눈동자는 Muted Turquoise로, 눈동자의 어두운 부분과 홍채 모양은 Peacock Blue로 표현합니다.

3. 코와 볼의 음영은 눈에 사용한 색 중 하나인 Cadmium Orange Hue를 사용하여 전체적인 균형을 맞추어 줍니다. Permanent Red와 Poppy Red로 입술을 색칠합니다.

4. 입술 안쪽의 라인은 Black으로 살짝 끊어 그리고 혀는 Rosy Beige로 연하게 색칠해 준 뒤, 위쪽 어두운 부분은 Poppy Red로 음영을 표현합니다.

5. 머리카락은 Magenta로 머릿결을 따라 전체적으로 칠해 준 뒤, 머리가 말려 들어가는 방향으로 Henna를 덧칠해 줍니다. 어두운 부분은 머릿결 흐름에 맞춰 Black으로 채색하여 완성합니다.

6. 20% Cool Grey로 옷을 부드럽게 채색해 마무리합니다.

수줍은 미소_ #03

: COLOR GUIDE :

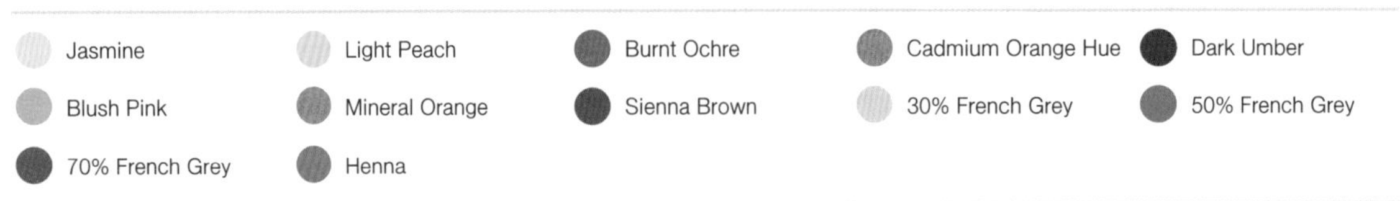
Jasmine
Light Peach
Burnt Ochre
Cadmium Orange Hue
Dark Umber
Blush Pink
Mineral Orange
Sienna Brown
30% French Grey
50% French Grey
70% French Grey
Henna

1. 피부 톤은 Jasmine과 Light Peach를 블렌딩하여 밀도 있게 표현합니다. 이때 노란빛보다는 핑크빛이 더 잘 표현되도록 채색합니다. 눈썹은 Burnt Ochre로 그리듯 부드럽게 채색해 줍니다.

2. Burnt Ochre로 눈 주변을 가볍게 칠한 뒤 Cadmium Orange Hue로 좀 더 밝게 색을 올려 줍니다. 눈동자도 같은 컬러를 사용해 하이라이트 부분을 피해 연하게 칠하고, Burnt Ochre로 눈매와 동공을 전체적으로 진하게 채색해 줍니다.

3. Dark Umber로 아이라인을 덧칠해 선명하게 강조하고, 위아래 속눈썹도 칠해 줍니다. 인물의 코와 볼터치는 Cadium Orange Hue로 칠하고 Blush Pink로 블렌딩합니다. 이때 이질감이 느껴지지 않도록 부드럽게 칠해 줍니다.

4. 입술은 반짝이는 부분을 제외하고 Mineral Orange로 채색한 뒤, Light Peach로 블렌딩해 줍니다. Dark Umber로 입술 사이를 끊어 그립니다.

5. Mineral Orange로 얼굴 라인을 그려 정리하고 Sienna Brown과 Burnt Ochre를 전체적으로 머리카락 방향에 맞춰 선을 그리듯 색칠해 줍니다.

6. 30% French Grey로 머리카락을 블렌딩합니다. 하얀 셔츠는 30% French grey와 70% French grey를 사용하여 그림자 방향을 신경쓰며 칠해 줍니다. Henna로 스웨터를 전체적으로 칠한 뒤, 50% French Grey로 블렌딩하여 완성합니다.

수줍은 미소_ #04

: COLOR GUIDE :

1. Light Peach, Deco Pink를 사용해 피부를 전체적으로 채색합니다. 이어 Salmon Pink로 눈썹과 눈 주변을 함께 칠하여 기본 톤을 완성해 줍니다.

2. Burnt Ochre로 쌍꺼풀과 아이라인을 그려 줍니다. 눈썹에 사용한 Salmon Pink로 눈동자 전체를, Dark Brown로 동공을 칠한 뒤, Burnt Ochre로 홍채를 칠해 눈동자를 묘사해 줍니다.

3. Dark Brown으로 속눈썹, 코의 라인, 콧구멍, 입술 사이의 어두운 라인을 그려 줍니다. 이어서 Salmon Pink로 인물의 코, 볼, 입술을 색칠합니다. 이때 입술은 마지막에 Pink를 살짝 덧칠하여 밀도를 높여 줍니다.

4. 머리카락은 Salmon Pink로 머릿결을 따라 전체적으로 칠한 뒤, Deco Pink로 블렌딩하여 완성도를 높여 줍니다. 머릿결의 묘사나 어두운 표현은 Nectar로 선을 그려 완성합니다. 턱과 목 라인도 같은 색으로 선을 그려 줍니다.

5. 옷은 Light Peach를 연하게 칠해 전체적인 색감을 만들어 준 뒤, 어두운 부분은 손에 살짝 힘을 주어 칠합니다. 주름이나 명암 표현은 Blush Pink를 사용해 라인을 따라 그리며 정리해 줍니다.

6. 배경의 잎사귀는 Spring Green, Kelly Green, Grass Green으로 잎사귀 결에 따라 그러데이션을 넣어 마무리합니다.

울적한 날_ #01

: COLOR GUIDE :

1. 피부는 Deco Pink와 Light Peach로 블렌딩하듯 전체적으로 칠합니다. 눈썹은 Salmon Pink로 그리듯 칠하고 눈동자와 섀도는 Henna로 칠합니다. 이때 눈동자의 하이라이트는 꼭 동그랗게 남겨 두고 칠합니다.

2. Beige Sienna로 눈동자를 블렌딩하고, Black으로 동공과 눈동자의 아웃라인, 위아래 아이라인과 속눈썹을 그려 눈매를 선명하게 만듭니다. Nectar로 위아래 속눈썹을 덧그리면 더 깊이 있는 눈매를 표현할 수 있습니다.

3. 볼과 코의 음영은 Salmon Pink와 Deco Pink를 사용해 부드럽게 표현합니다. 입술 안쪽의 어두운 부분은 Carmine Red로, 주변은 Salmon Pink로 채색한 뒤, Hot Pink로 블렌딩합니다. 입술의 라인은 Dark Umber로 살짝 끊어서 그리고 치아 라인도 10% Warm Grey로 연하게 그립니다.

4. 머리카락은 Eggshell로 전체적으로 칠한 뒤, Sand로 중간중간 블렌딩합니다. Burnt Ochre로 머리카락 사이사이에 선을 그리듯 채색하여 음영을 표현합니다.

5. 옷은 Greyed Lavender로 전체적으로 연하게 채색한 뒤, 색연필에 살짝 힘을 주어 옷 주름에 맞춰 한 번 더 칠합니다. Parma Violet으로 옷의 전체적인 라인을 따라 그리고 꽃무늬를 자유롭게 그립니다.

6. 옷 소매도 Cloud Blue와 Blue Violet Lake를 번갈아 채색하여 완성합니다.

울적한 날_ #02

: COLOR GUIDE :

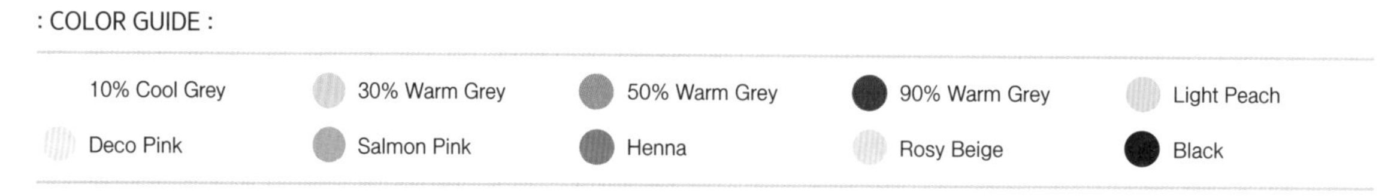

1. 10% Cool Grey로 피부를 전체적으로 칠한 뒤, Light Peach로 블렌딩하여 밀도를 높입니다. 코나 볼, 눈 주변은 Deco Pink로 덧칠하여 음영을 표현합니다.

2. 30% Warm Grey로 눈썹과 섀도, 눈동자 전체를 채색합니다. 그 위에 50% Warm Grey로 아이라인, 동공, 쌍꺼풀 라인, 아래로 처진 속눈썹을 그려 넣습니다. 눈매가 선명한 느낌이 들지 않는다면 Black으로 덧그려 선명하게 표현합니다. 코와 볼은 Salmon Pink를 최대한 눕힌 상태에서 부드럽게 채색합니다.

3. 50% Warm Grey로 콧대와 콧구멍을 자연스럽게 따라 그려 이목구비를 선명하게 만듭니다. 입술은 Henna로 칠한 뒤 Rosy Beige로 그러데이션을 합니다. 입술에 사용한 색으로 얼굴 라인을 그리면 다채로운 색감을 표현할 수 있습니다.

4. 머리카락이 흘러내리는 방향에 따라 30% Warm Grey로 부드럽게 색칠합니다. 이때 색연필을 뾰족하게 깎아 사용하면 머리카락의 결을 섬세하게 표현할 수 있습니다.

5. 회색 계열의 머리카락 위에 Rosy Begie를 올려 두 가지 색을 자연스럽게 블렌딩한 뒤, 조금 더 어두운 회색인 50% Warm Grey로 음영을 표현합니다.

6. 옷은 90% Warm Grey와 50% Warm Grey를 블렌딩하여 완성합니다.

울적한 날_ #03

: COLOR GUIDE :

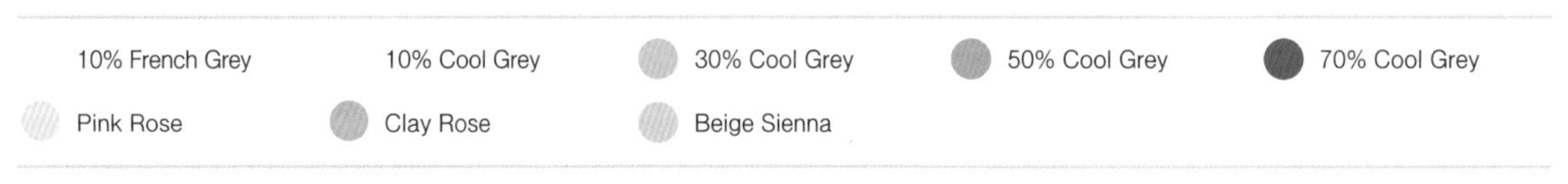
10% French Grey
10% Cool Grey
30% Cool Grey
50% Cool Grey
70% Cool Grey
Pink Rose
Clay Rose
Beige Sienna

1. 피부는 10% French Grey로 부드럽게 칠한 뒤, Pink Rose로 인물의 이목구비, 섀도, 목 밑 그림자 등을 전체적으로 연하게 겹겹이 칠하여 밀도를 높입니다.

2. 눈썹과 눈은 10% Cool Grey를 사용해 전체적으로 채색합니다. 진한 아이라인과 쌍꺼풀, 동공은 30% Cool Grey와 50% Cool Grey를 번갈아 사용해 선명하게 그립니다.

3. 아이라인, 속눈썹, 눈동자 등 눈매에서 가장 진하고 어둡게 표현되는 부분은 70% Cool Grey로 채워 깊이감을 묘사합니다. 같은 색으로 코의 라인을 그려 줍니다.

4. 입술 안쪽 라인은 50% Cool Grey를 사용해 선명하게 그리고, 입술은 Clay Rose와 Beige Sienna를 블렌딩하여 채색합니다.

5. 10% Cool Grey를 뾰족하게 깎아 머리카락 결에 따라 전체적으로 칠합니다. 머리카락이 굴곡진 부분이나 그림자가 생기는 귀 아래쪽 머리카락은 음영 표현을 위해 살짝 힘을 주어 덧칠하면 사실적인 표현을 할 수 있습니다.

6. 머리카락을 정리한다는 느낌으로 50% Cool Grey를 뾰족한 심으로 덧그려 주면 다채로운 색감을 표현하며 마무리할 수 있습니다.

울적한 날_ #04

: COLOR GUIDE :

Light Peach
Deco Peach
Orange
Pumpkin Orange
Mineral Orange
Pink Rose
Dark Brown
Terra Cotta
Crimson Lake
Henna
Artichoke
Seashell Pink
Olive Green

1. 빛을 받는 볼 부분을 제외한 피부를 Light Peach로 전체적으로 칠한 뒤, Deco Peach로 연하게 블렌딩합니다. 같은 색을 손에 힘을 주어 칠해 인물의 이목구비에 음영감을 표현합니다. 눈썹은 Orange와 Pumpkin Orange를 번갈아 블렌딩합니다.

2. 섀도는 눈썹에 사용한 Orange와 Pumpkin Orange를 사용해 칠합니다. 눈동자는 Mineral Orange로 전체를 칠하고 눈동자 윗부분은 자연스럽게 그림자가 지도록 음영을 넣으며 속눈썹도 함께 그립니다.

3. 전체적으로 통일감이 생길 수 있도록, 눈에 사용했던 Orange를 입술 전체에 칠한 뒤, Pink Rose로 블렌딩합니다. Dark Brown으로 코, 입술 안쪽과 눈 안쪽 등에 포인트로 명암을 조금씩 주며 깊이감을 표현합니다. 얼굴과 목에 드리워진 머리카락 그림자는 Mineral Orange와 Orange를 함께 사용해 표현합니다.

4. Terra Cotta를 뾰족하게 깎아 머릿결 흐름에 맞추어 채색합니다. 귀걸이는 Crimson Lake로 붉은 보석의 느낌을 표현하고, 연결되는 액세서리는 갈색 계열로 라인만 따라 그려 본연의 하얀색을 남겨 둡니다.

5. Henna로 머리카락에 음영을 넣어 머리카락을 완성합니다. 옷은 Artichoke로 전체적으로 칠한 뒤, Seashell Pink로 블렌딩합니다.

6. 전체적인 옷의 톤을 만들었다면, Olive Green을 사용해 전체적으로 생기있는 초록색 톤을 만들고, 같은 색으로 옷 무늬에 있는 풀잎을 묘사해 마무리합니다.

환희, 기쁨의 날_ #01

: COLOR GUIDE :

Deco Yellow
Sand
Deco Pink
Mineral Orange
Pumpkin Orange
Cadmium Orange Hue
Burnt Ochre
Tuscan Red
Pink
Sunburst Yellow
Artichoke
Green Ochre
Ginger Root

1. 햇빛을 찬란하게 받은 인물의 밝은 피부를 Deco Yellow와 Sand를 사용해 전체적으로 칠합니다. 노란 얼굴 톤을 Deco Pink로 블렌딩하여 자연스럽게 만든 뒤, 볼터치 부분은 손에 힘을 주어 진하게 칠합니다. Mineral Orange와 Pumpkin Orange를 적절히 블렌딩하여 눈을 감은 인물의 눈두덩이와 눈썹을 표현합니다.

2. Cadmium Orange Hue로 볼터치와 코, 섀도를 진하게 덧칠한 뒤 Burnt Ochre와 Tuscan Red로 아이라인, 속눈썹, 콧구멍을 그리듯 색을 입힙니다. 볼터치와 섀도, 코의 음영에서 어색함이 느껴진다면 Pink나 Deco Pink로 블렌딩하여 주변 색과 잘 어우러지게 합니다.

3. Cadmium Orange Hue로 입술 안쪽을 칠한 뒤, Sunburst Yellow로 블렌딩합니다.

4. 눈에 사용한 색 중 한 가지를 골라 얼굴과 목의 라인을 선명하게 그려 줍니다. 머리카락은 Mineral Orange와 Cadmium Orange Hue를 겹쳐 칠해 블렌딩하고, 머리카락의 어두운 부분은 손에 힘을 주어 칠하여 진하게 표현될 수 있도록 합니다.

5. 옷은 Artichoke로 전체적으로 칠한 뒤, Green Ochre로 어두운 음영과 스웨터 라인을 표현합니다.

6. 옷의 마지막 단계로 Ginger Root를 사용해 전체를 블렌딩한 뒤, Mineral Orange로 라인을 정리하여 완성합니다.

환희, 기쁨의 날_ #02

: COLOR GUIDE :

1. 빛을 받는 부분을 제외한 피부 전체를 Light Peach와 Spanish Orange로 채색합니다. 이어 Cadmium Orange Hue로 눈썹과 섀도를 칠합니다.

2. Cadmium Orange Hue로 코와 그림자, 볼터치를 연하게 칠해 음영을 표현하고, 하이라이트 주변은 Deco Pink를 사용해 자연스럽게 연결되도록 채색합니다. 눈동자는 Cadmium Orange Hue로 칠한 뒤, Sienna Brown과 Dark Umber로 동공과 홍채, 아이라인을 진하게 그립니다. 속눈썹도 어두운 계열로 끝을 날카롭게 그려 표현합니다.

3. 벌린 입 안쪽은 Dark Umber로 칠하고 혀는 Henna와 Poppy Red로 블렌딩합니다. 입술은 Cadmium Orange Hue를 진하게 칠한 뒤 핑크 계열로 블렌딩하면 자연스럽게 표현할 수 있습니다. 목도 같은 방법으로 채색합니다.

4. Pumpkin Orange로 머리카락 전체를 칠하고 어두운 음영 부분은 Sienna Brown으로 덧칠합니다.

5. 꽃잎은 Deco Peach로 전체적으로 칠한 뒤, Blush Pink로 꽃잎이 모여 있는 안쪽을 어둡게 칠합니다. 꽃잎의 라인은 Clay Rose로 그리고, 수술은 Black으로 묘사하여 완성합니다. 동그라미 꽃은 Spanish Orange와 Cadmium Orange Hue로 표현합니다. 옷은 Cloud Blue로 전체 톤을 칠한 뒤, Blue Lake로 줄무늬를 그려 넣습니다.

6. 꽃을 둘러싼 포장지는 20% Cool Grey로 칠합니다. 마지막으로 꽃들 사이에 있는 풀잎은 Prussian Green과 Kelp Green으로 칠하여 완성합니다.

환희, 기쁨의 날_ #03

: COLOR GUIDE :

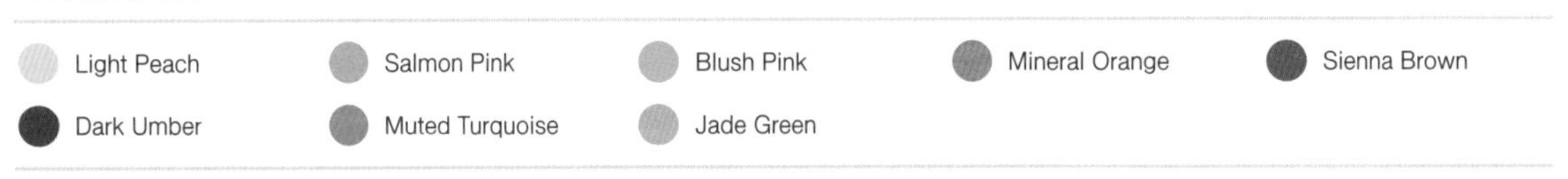

1. Light Peach와 Salmon Pink로 하이라이트 부분은 연하게, 나머지 음영 부분은 힘을 주어 진하게 블렌딩하여 피부를 채색합니다. Blush Pink로 볼과 코, 목 아래 음영을 표현합니다.

2. Mineral Orange로 눈썹과 섀도, 눈동자를 칠한 뒤, Sienna Brown으로 전체적으로 덧칠해 선명하게 표현합니다. 같은 색으로 아래위 속눈썹과 동공도 그려 줍니다.

3. 앞서 눈 표현에 사용한 색상들을 사용해 얼굴 라인과 코, 입 안쪽 라인을 선명하게 그립니다. 입술은 Mineral Orange로 부드럽게 칠하고, 혀는 붉은색 계열로 연하게 채색합니다.

4. 전체적인 머리카락은 Mineral Orange로 머릿결을 따라 색칠한 뒤, 머릿결 사이사이와 음영이 필요한 부분은 Sienna Brown을 사용하여 색감을 풍부하게 표현합니다. 인물이 입고 있는 옷의 모자와 맞닿아 있는 머리 부분은 가장 어두운 부분이므로, Dark Umber로 칠해 줍니다.

5. 옷은 Muted Turquoise를 최대한 눕힌 상태에서 부드럽게 칠합니다.

6. 같은 색을 힘을 주어 옷 주름의 방향대로 칠하여 어두운 면을 묘사한 뒤, Jade Green으로 블렌딩하여 마무리합니다.

환희, 기쁨의 날_ #04

: COLOR GUIDE :

1. Eggshell로 피부를 전체적으로 부드럽게 칠한 뒤 Deco Peach로 블렌딩해 줍니다. 같은 색으로 코와 볼, 귀, 목 밑, 손가락의 음영 부분을 조화롭게 여러 번 칠합니다.

2. Cadmium Orange Hue와 Blush Pink를 사용해 눈썹과 섀도를 칠합니다. 그 위에 어두운 갈색 계열인 Burnt Ochre로 아이라인과 속눈썹을 그려 인물의 이목구비를 선명하게 표현합니다. 눈동자는 Kelly Green으로 칠하고 Sepia로 동공과 홍채 라인을 선명하게 색칠합니다.

3. 코에 묻은 생크림 그림자는 Hot Pink로 그려 넣어 음영 효과를 더합니다. 입술은 Cadmium Orange Hue로 칠한 뒤, Blush Pink로 블렌딩합니다.

4. Canary Yellow로 머리카락 전체를 칠한 뒤, Deco Pink와 Pink로 안쪽에서 바깥 방향으로 자연스럽게 그러데이션을 넣습니다. Light Peach로 블렌딩하여 전체 톤을 정리합니다.

5. 머리카락에 사용한 핑크 계열로 귀와 목 주변 음영을 표현합니다. 옷깃과 소매는 Deco Pink로 연하게 칠한 뒤, 같은 색연필을 힘을 주어 꽃무늬 모양을 묘사합니다. 옷 가운데는 Magenta로 하얀 꽃은 피하면서 칠하고, Deco Pink로 블렌딩하여 부드럽게 만듭니다. 옷의 전체적인 라인은 Crimson Lake로 표현합니다.

6. 케이크 시트는 Dark Umber와 Dark Brown을 섞어 칠하고, Pink로 생크림 라인을 그려 줍니다. 딸기는 마음에 드는 빨간색과 초록색으로 색칠하고, 초는 Process Red로, 촛불은 Canary Yellow와 Carmine Red로 그러데이션을 넣어 완성합니다.

환희, 기쁨의 날_ #05

: COLOR GUIDE :

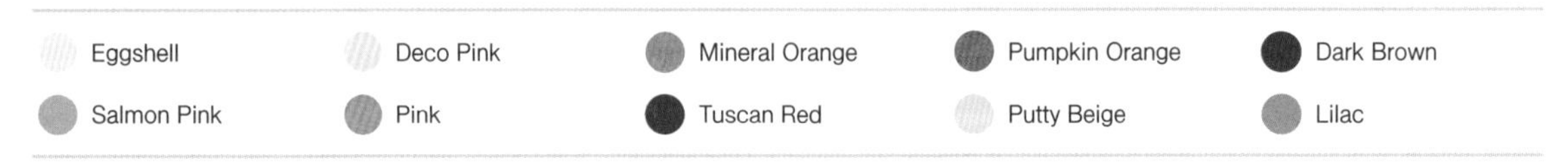
Eggshell
Deco Pink
Mineral Orange
Pumpkin Orange
Dark Brown
Salmon Pink
Pink
Tuscan Red
Putty Beige
Lilac

1. Eggshell과 Deco Pink로 피부를 전체적으로 칠한 뒤, Mineral Orange로 눈썹을 그리듯 채색합니다.

2. 눈썹에 사용한 Mineral Orange로 섀도와 눈동자를 칠하고 눈동자 위쪽의 어두운 부분은 Pumpkin Orange로 자연스럽게 그러데이션을 해 줍니다. 위아래 아이라인과 속눈썹, 동공은 더 진한 Dark Brown으로 덧칠하여 강조합니다.

3. 코와 볼은 Salmon Pink와 Deco Pink를 번갈아 사용하여 음영과 입체감을 살립니다. 눈썹에 사용한 Mineral Orange로 귀와 얼굴 라인, 이마 그림자도 그립니다. 입술은 Pink로 채색한 뒤 바깥쪽은 흰색 색연필을 사용해 자연스럽게 블렌딩합니다.

4. 머리카락은 Pumpkin Orange로 전체적으로 칠하고, 굴곡이 있는 어두운 부분은 Tuscan Red로 명암을 넣어 줍니다.

5. 옷 안쪽은 Deco Pink로 채색한 뒤, Putty Beige로 블렌딩하여 차분함을 표현합니다. 레이어드한 옷 역시 Deco Pink로 채색한 뒤, Lilac으로 보랏빛이 돌게 블렌딩하고 레이스 부분도 라인을 따라 그립니다.

6. Lilac으로 줄무늬를 그려 넣어 완성합니다.

사부작 사부작
소녀의 드로잉

1판 1쇄 발행 2022년 4월 15일

저 자 | NARIM(나림)
발행인 | 김길수
발행처 | 영진닷컴
주 소 | (우)08507 서울특별시 금천구 가산디지털1로 128
STX-V타워 4층 401호
등 록 | 2007. 4. 27. 제16-4189호

ISBN | 978-89-314-6607-2

http://www.youngjin.com